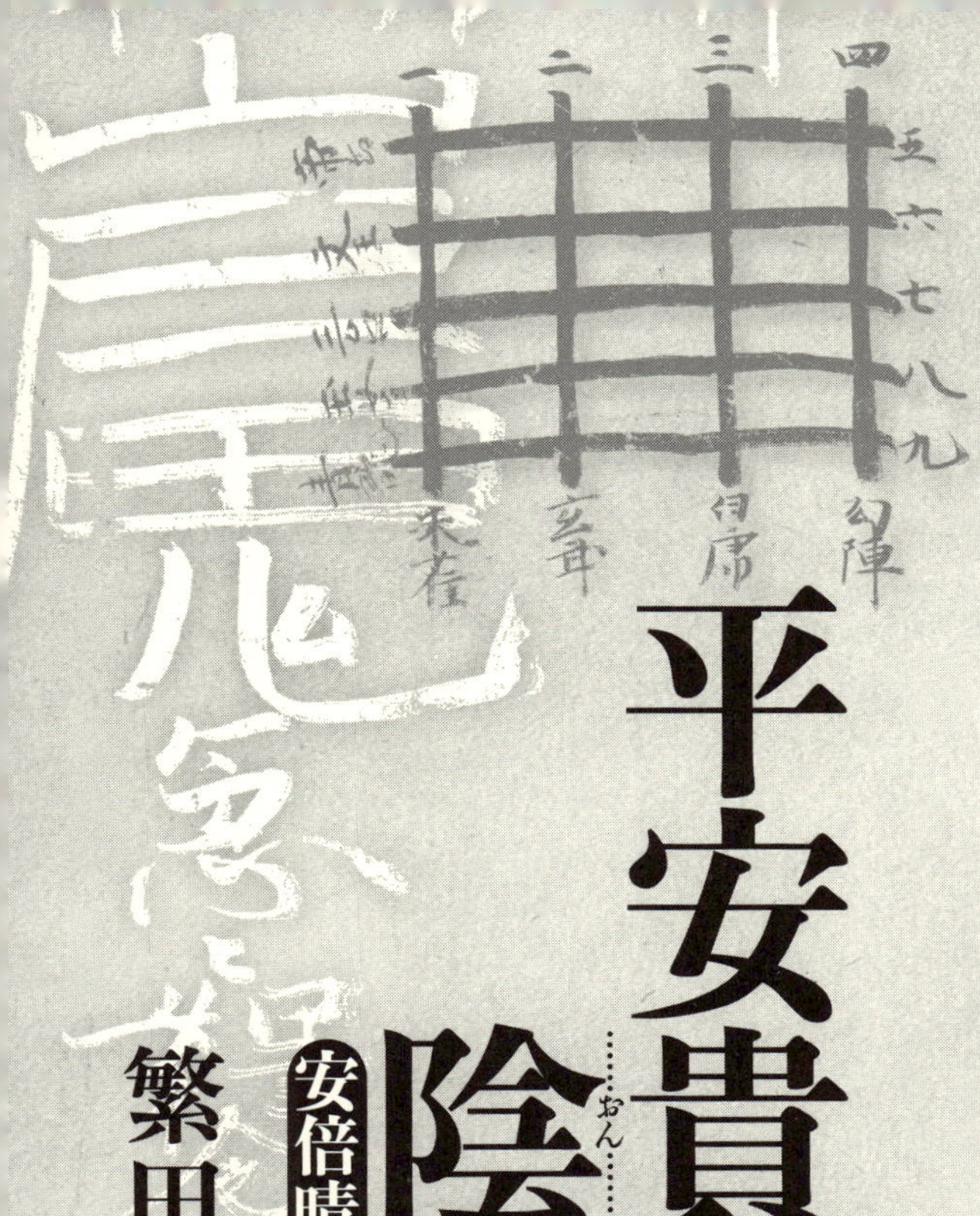

平安貴族と陰《おん》陽《みょう》師《じ》

安倍晴明の歴史民俗学

繁田信一

吉川弘文館

平安貴族と陰陽師——安倍晴明の歴史民俗学——

目次

図表目次

平安貴族と陰陽師の世界へ

実在した安倍晴明

しばしば「陰陽師《おんみようじ》の安倍晴明というのは、実在した人物なのか？」と尋ねられることがある。最近はすっかり有名になった安倍晴明だが、われわれ現代人に彼の名前を知らしめたのは、多くの場合、映画か漫画か小説かであろう。そして、たいていの映画・漫画・小説は、晴明のことを、強大な力を持った超人として描いている。娯楽作品の中の晴明は、その気になれば天下を滅ぼしかねないほどの存在だ。

こうした事情からすれば、映画などで晴明を知った人々には、晴明を実在の人物として認識することは難しいだろう。ことによると、世間では陰陽師の存在さえもが疑われているのではないだろうか。

だが、平安時代に陰陽師と呼ばれる人々が数多く存在していたことは紛《まぎ》れもない事実である。また、安倍晴明という陰陽師が平安時代中期に実在した歴史上の人物であることも間違いない。

藤原道長《ふじわらのみちなが》というのは、平安時代中期の一条《いちじよう》天皇・三条《さんじよう》天皇・後一条《ごいちじよう》天皇の治世に天皇の叔父あ

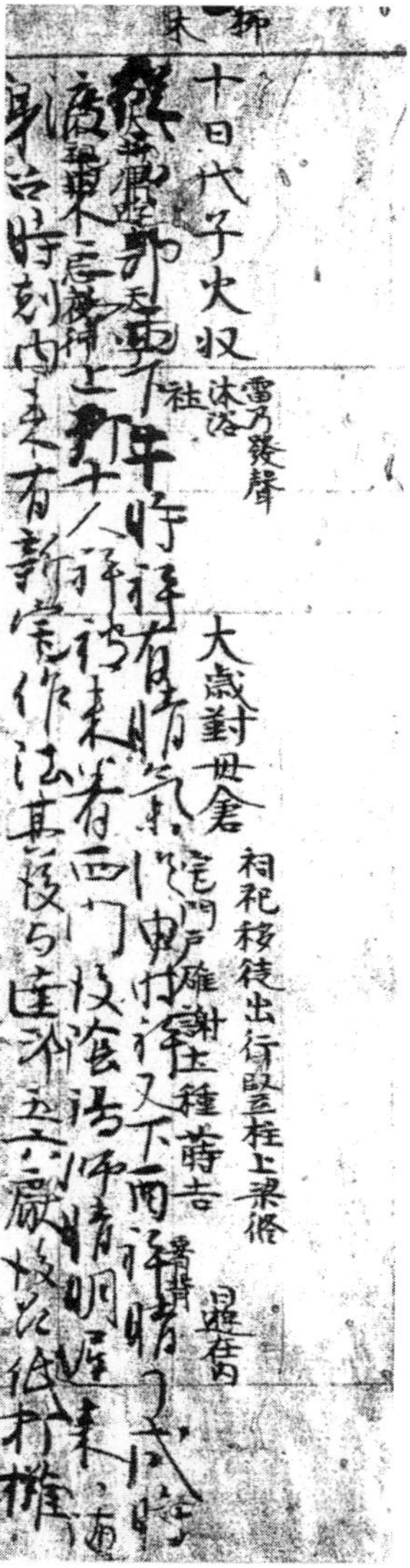

図1　自筆本『御堂関白記』寛弘2年2月10日条（陽明文庫所蔵）

るいは祖父として絶大な権力を誇った人物だが、その道長の日記である『御堂関白記《みどうかんぱくき》』には、いくつか安倍晴明についての記述が見受けられる（図1）。たとえば、次に引用する『御堂関白記』の一節からは、東三条《ひがしさんじょう》第という邸宅への引っ越しにあたり、道長が陰陽師の安倍晴明を喚《よ》んでいたことが知られるのだ。「東三条に渡《わた》る」というのは、東三条第に引っ越したということである。

○戌時《いぬのとき》、東三条に渡る。上卿《しょうけい》十人許《ばかり》来らる。西門に着くの後、陰陽師晴明の遅れて来たる。随《ずい》身《じん》を以《もっ》て召《め》すに、時剋《じこく》内に来たる。新宅作《しんたくのさ》法《ほう》有り。

（『御堂関白記』寛弘《かんこう》二年二月十日条）

ちなみに、右の出来事があった寛弘二年はおおむね西暦の一〇〇五年に相当するが、この寛弘二年

図2　東三条殿復元模型（国立歴史民俗博物館所蔵）

の冬のこと、晴明は享年《きょうねん》八十五にて人生の幕を閉じた。すなわち、安倍晴明は今からちょうど一〇〇〇年ほど前に没した人物なのである。

このように、安倍晴明という陰陽師は、平安時代の日本に実在した歴史上の人物であった。そして、本書が副題に名を借りた安倍晴明は、その一〇〇〇年前の陰陽師に他ならない。

安倍晴明の生きた時代

では、安倍晴明が生きた平安時代というのは、どのような時代だったのだろうか。

年代を問題にするならば、普通、西暦の七九四年から一一九二年までが、平安時代と呼ばれることになる。七九四年というのは桓武《かんむ》天皇によって都が平安京《へいあんきょう》に遷《うつ》された年であり、また、一一九二年というのは源頼朝《みなもとのよりとも》が鎌倉に幕府を開いた年だ。つまり、平安京への遷都《せんと》から鎌倉幕府の樹立までのおよそ四〇〇年間、八世紀の終わりから十二世紀の終わりまでのおよそ四〇〇年間が、「平安時代」として位置づけられているのである。

そして、歴史学においては、この四〇〇年間の平安時代を大まかに前期・中期・後期に区分することもある。具体的には、九世紀の終わりまでが平安時代前期、十世紀から十一世紀の前半までが平安時代中期、そして、十一世紀の後半からが平安時代後期に相当する。

この区分に従うならば、十一世紀初頭の寛弘二年（一〇〇五）に没した安倍晴明は、平安時代中期の人物だったことになる。

その平安時代中期という時期は、その後の日本の文化に非常に大きな影響を与えた時期であった。平安時代中期は日本文化史上の重要な画期であった、と言い換えてもいい。

このように言うのは、平安時代中期こそが「国風文化《こくふうぶんか》」というものの興隆した時期であったからに他ならない。中学校や高等学校の歴史の時間に必ず登場する「国風文化」という言葉は「日本風の文化」というほどの意味合いを持つが、日本風の文化としての国風文化に隆盛が訪れるのは、十世紀から十一世紀の前半にかけての平安時代中期なのである。

それ以前、平安時代前期までの日本の文化は、かなりの程度に外国の文化に依存した模倣文化であった。この場合、外国というのは主として中国のことである。唐朝《とうちょう》によって統治されていた当時の中国は、世界でも最先端の文化を持つ最先進国の一つであった。これに対して、当時の日本は辺境の後進国に過ぎない。そのため、そのころの日本人は、中国から輸入された文物《ぶんぶつ》に対して大きな憧《あこが》れを抱き、中国文化の模倣に努めていた。

ところが、九世紀の末、平安時代前期の終わりごろになって、日本の朝廷は中国の唐朝との正式な外交を停止してしまう。その理由にはさまざまなことが考えられるのだが、いずれにせよ、それ以降の日本では、それまでに輸入された中国文化と上代《じょうだい》以来の伝統文化とを止揚《しよう》した日本独自の文化が台頭したのであった。そして、この時期に興隆した日本独自の文化が、後代の知識人によって「国風文化」と呼ばれることになったのである。

国風文化としての陰陽師

その国風文化を代表するのが仮名《かな》文字の普及だ。外来の文字である漢字から派生した平仮名や片仮名は、すでに平安時代前期の九世紀初頭から少しずつ使われはじめていた。しかし、それが広く利用されるようになったのは、平安時代中期に入ってからであった。

そして、仮名文字の普及が日本の文化に与えた影響は非常に大きかった。まず、仮名が漢字に比してはるかに習得の容易な文字であることから、平安時代中期以降、文字を読み書きすることのできる人の数が急増した。とくに、それまではその大半が読み書きの場から疎外《そがい》されていた女性たちが、読んだり書いたりという行為に参加できるようになった。

また、女性が読み書きをするようになった結果、平安時代中期には女流文学が誕生した。高等学校の古典の授業でお馴染《なじ》みの『源氏物語《げんじものがたり》』や『枕草子《まくらのそうし》』などがその代表だ。光源氏《ひかるげんじ》を主人公とする長編小説の『源氏物語』も、「春はあけぼの」ではじまる随筆集の『枕草子』も、その作者は平安時代中期の貴族層の女性である。しかも、これらの作品が生まれた当時について言えば、その読者の多くも貴族層の女性であった。すなわち、仮名文字が普及したことにより、平安時代中期には女性の手で女性向けの文学が創出されたのである。こうした女流文学は、これまでも国風文化の代表例に数えられてきた。

さらに、平安時代中期以降に盛んになる陰陽師の活動についても、これを国風文化の一環として理解することができる。

安倍晴明の時代の人々――とくに貴族層の人々――は、頻繁《ひんぱん》に陰陽師を必要とした。平安貴族の日常生活には、陰陽師の介在《かいざい》が不可欠だったのである。そもそも、そうした背景があったからこそ、安倍晴明という陰陽師は現代にまで名を残すほどの有名人になり得たのであった。

しかし、日本人が日々の生活を営む中で頻繁に陰陽師を必要とするようになったのは、平安時代中期に入ってからのことだ。それより以前、平安時代前期までの日本では、陰陽師の需要はさほどのものではない。陰陽師そのものはすでに奈良時代には存在していたが、平安時代前期までの陰陽師の場合、平安時代中期以降の陰陽師ほどには人々の日常生活と深い関わりを持っていなかった。

とすれば、平安時代中期以降の陰陽師の活動は、当該期に登場した新たな文化事象として理解されるべきだろう。そして、そうした意味では、安倍晴明の時代の陰陽師の活動は、国風文化の代表的な事象に数えられるべきなのである。

陰陽師という生活文化

ところで、「安倍晴明の歴史民俗学」を標榜《ひょうぼう》する本書は、オカルトマニア的な安倍晴明ファンの欲求を満足させるものではないかもしれない。というのも、本書の目的がもっぱらに安倍晴明という陰陽師について語ることにあるわけではないからだ。そこで、読者諸氏には、この本が安倍晴明ファンやオカルトマニアのために書かれたものではないということを、今のうちにお断わりしておきたい。

もちろん、「安倍晴明の……」と題する本書では、いたるところで安倍晴明に言及することになる。この本に登場する幾人かの歴史上の人物の中で最も登場回数が多いのは、やはり、安倍晴明という陰陽師であろう。

しかし、それでもなお、本書の主要な目的は、安倍晴明という人物について語ることではない。

では、この本は何について語ろうとしているのか。

筆者が本書において試みようとしているのは、簡単に言ってしまえば、平安時代の生活文化の紹介である。つまり、平安時代の人々——とくに「平安貴族」と呼ばれる貴族層の人々——はどのような暮らしをしていたのか、ということが、この本の中心的な話題になるわけだ。大雑把《おおざっぱ》な分類では、本書は平安貴族の生活文化についての解説書として位置づけられることになるだろう。

ただし、筆者としては、平安貴族の生活文化のあり方について、これまでとは少しばかり異なった視角で述べていくことにしたい。そして、ここに言う「少しばかり異なった視角」という点にこそ、安倍晴明のような陰陽師が関わってくることになる。

平安時代に数多く存在した陰陽師は、平安貴族の日常生活と非常に広く深く関わっていた。極端な言い方をすると、平安貴族と呼ばれる人々の場合、陰陽師がいなければ正常な生活を送ることができなかったのである。たとえば、先述の東三条《ひがしさんじょう》第への引っ越しに際して藤原道長《みちなが》が安倍晴明を喚《よ》んだのも、陰陽師がいなければ平安貴族は引っ越しをはじめることができなかったためなのである。そうした意味で、陰陽師は平安貴族の生活文化の重要な要素の一つであった。

そこで、本書では、平安貴族の生活文化の中でも、とくに陰陽師が関与するものを取り上げることにしたい。その限りでは、本書は平安時代の陰陽師についての解説書でもあるのだ。

日記の中の陰陽師

とはいえ、われわれはどうやって安倍晴明やその他の陰陽師たちの活動を知ることができるのだろうか。

ここで最も頼りになるのが、前掲の『御堂関白記《みどうかんぱくき》』をはじめとする平安貴族たちの残した日記だ。藤原道長《みちなが》の『御堂関白記』がしばしば安倍晴明について記していることは、すでに冒頭で述べた通りである。

平安時代中期の貴族層の人々の生活文化を特徴づけるものの一つとして、私的な日記の存在を挙げることができる。藤原道綱母《ふじわらのみちつなのはは》の『蜻蛉日記《かげろうにっき》』・紫式部《むらさきしきぶ》の『紫式部日記』・和泉式部《いずみしきぶ》の『和泉式部日記』・菅原孝標女《すがわらのたかすえのむすめ》の『更級日記《さらしなにっき》』など、当時の貴族層の女性が綴《つづ》った日記は、しばしば高校入試や大学入試の際に問題として出題されていることもあり、ご存じの方も多いだろう。

ただし、これらの女流日記が陰陽師に関する情報を与えてくれることはほとんどない。安倍晴明と同じ時代を生きた藤原道綱母・紫式部・和泉式部などは、晴明についてその噂《うわさ》くらいは聞いていたはずである。が、彼女たちが晴明について日記に記すことはなかった。それだけではなく、当時の女流日記には、陰陽師に関する記述はほとんど見られないのである。

そして、陰陽師の活動を知ろうとするならば、眼を着けるべきは、藤原道長の『御堂関白記』など、貴族層の男性たちの残した日記だ（表1）。「古記録《こきろく》」とも呼ばれる当時の男性の日記は、そのほとんど全文が漢文で綴られており、仮名書きの和文で綴られた女性の日記に比べて少しばかり読解に難《なん》渋《じゅう》する面がないこともない。しかし、古記録こそが平安時代中期の陰陽師に関する最も重要な史料なのである。

表１　平安時代中期の古記録

『御堂関白記《みどうかんぱくき》』――藤原道長《みちなが》（966～1027）の日記
晩年には出家者として法成寺に住んだ道長は，後世に「御堂関白」と呼ばれた．これに由来して彼の日記は『御堂関白記』と呼ばれることになったが，史実として道長は一度も関白には就任していない．

『小右記《しょうゆうき》』―――藤原実資《さねすけ》（957～1046）の日記
右大臣（右府）を極官とした実資は，居所の小野宮第にちなんで「小野宮右府」と呼ばれた．そのため，彼の日記は『小右記』とも『野府記』とも呼ばれることになった．なお，実資は藤原道長の又従兄弟にあたる．

『権記《ごんき》』――――藤原行成《ゆきなり》（972～1027）の日記
三跡の一人として知られる能書家の行成は，権大納言を極官とした．その日記に与えられた『権記』という通称は，『権大納言記』の略称である．行成の父親の藤原義孝は，藤原道長の従兄弟にあたる．

『左経記《さけいき》』―――源経頼《みなもとのつねより》（985～1039）の日記
『左経記』は『左大弁経頼記』の略．経頼は参議左大弁を極官とする有能な実務官人であった．その経頼の叔母には，藤原道長の正妻となった源倫子がいる．

『春記《しゅんき》』――――藤原資房《すけふさ》（1007～1057）の日記
資房は左頭中将を経て参議に任じたが，その日記の名称は彼が春宮権大夫を兼ねていたことに由来する．なお，藤原実資の甥であり養子であった藤原資平の長男が資房である．

もちろん、平安貴族の男女が残した日記は、当時の生活文化についての最良の史料でもある。したがって、本書の内容は平安貴族の日記に大きく依存することになるだろう。

ちなみに、平安時代中期の生活文化は、現代にまで続く日本的な生活文化＝民俗の有力な源流の一つである。とくに、年中行事にはその傾向が強いと言えよう。

たとえば、今でも二月三日になると多くの家庭で行われる節分《せつぶん》の豆撒《まめま》きなどは、平安時代中期から大晦日《おおみそか》に貴族層の私宅で催《もよお》されるようになった追儺《ついな》という行事に由来する。「鬼は外」という掛け声をともなう豆撒きには家庭から鬼を追い払うという意味が付与されているが、平安貴族が行った追儺も鬼を追い払うことを目的とした行事であった。桃の弓と葦《あし》の矢とで鬼を追い払おうとした追儺が、いつのころからか豆を撒く行事へと変容しながらも、あくまで鬼を追い払う行事として現代にまで存続しているのである。

平安時代の歴史民俗学

さて、序言の締《し》め括《くく》りとして、この本の副題に「歴史民俗学」という言葉が入っていることについて一言しておかねばなるまい。簡単に言ってしまえば、これは本書が平安時代の生活文化について述べたものであることに由来する。

普通、政治についての研究をするのが政治学だ。また、経済についての研究をするのが経済学である。さらに、生物についての研究をするのが生物学であろう。とすれば、民俗学というのは、「民俗」というものについての研究をする学問のはずだ。

では、「民俗」とは何だろうか。

これまで、「民俗」というものについては、さまざまな定義が提示されてきた。そして、民俗の研究を専門とする民俗学者の間でさえ、何を「民俗」と呼ぶかということについて、確定的な統一見解が共有されているわけではない。どうかすると民俗学者の数だけ「民俗」の定義が存在するというのが、学界の現状なのである。

このような状況において、単純に「民俗」＝「生活文化」と解するのが、今のところの筆者の立場だ。つまり、たとえば衣・食・住のような日々の暮らしの中の諸事象こそが、筆者の理解する民俗なのである。したがって、筆者にとっての民俗学は、生活文化を研究対象とした学問だということになる。

とすれば、平安時代の生活文化＝民俗を研究する民俗学があってもいいのではないだろうか。そして、歴史上の特定の時代の生活文化＝民俗を対象とする研究を「歴史民俗学」と呼ぶとするならば、筆者が本書において試みようとしているのは、まさに平安時代中期の歴史民俗学なのである。

なお、筆者が殊更《ことさら》に平安時代中期という時代にこだわるのは、日本の生活文化というものについて考えるうえで、平安時代中期が重要な画期となるからだ。

このように言う根拠は、国風文化が興隆した平安時代中期、生活文化の面でも新しい文化事象がさまざまに登場したことにある。これまでに取り上げたもので言えば、私的な日記も、また、私宅での追儺も、この時期にはじまる生活文化の一つだ。そして、すでに述べたことではあるが、陰陽師を頻《しき》りに必要とするような暮らし方なども、平安時代中期からの新しい生活文化の代表例なのである。

一　家宅を鎮める

ここで、冒頭に見た『御堂関白記《みどうかんぱくき》』の記事をふたたび引用しよう。藤原道長《みちなが》が東三条第《ひがしさんじょう》という邸宅への引っ越しを行おうとしたところ、陰陽師の安倍晴明がなかなかやって来ず、道長は東三条第の門前で晴明を待たねばならなかった、という記事である。

○戌時《いぬのとき》、東三条に渡《わた》る。上卿《しょうけい》十人許《ばかり》来らる。西門に着くの後、陰陽師晴明の遅れて来たる。随《ずい》身《じん》を以《もっ》て召《め》すに、時剋《じこく》内に来たる。新宅作法《しんたくのさほう》有り。

（『御堂関白記』寛弘二年〈一〇〇五〉二月十日条）

すでに述べたように、道長が晴明を待ったのは、陰陽師がいなければ引っ越しを行うことができなかったからに他ならない。平安貴族の引っ越しにおいては、陰陽師が非常に重要な役割を果たしたのである。

では、平安貴族の引っ越しに際して、陰陽師は何をしたのだろうか。実は、その答えとなるのが、右の『御堂関白記』に見える「新宅作法《しんたくのさほう》」なのだ。

平安貴族は、引っ越すことを「渡る《わた》」と言い、また、引っ越しのことを「移徙《いし(わたまし)》」と呼んだ。そして、新しい家宅（新宅）への引っ越し（移徙）は、平安貴族の間では「新宅移徙《しんたくいし》」と呼ばれた。

だが、平安貴族の新宅移徙は、単なる引っ越しではなかった。

たとえば、藤原道長の東三条第への移徙が戌時から行われたように、平安貴族の新宅移徙は必ず夜に行われた。戌時と言えば、だいたい午後の七時から九時に相当する時刻だが、これより早い時間帯に新宅移徙が行われたことはない。つまり、平安貴族の新宅移徙は、夜間に行われるものだったのである。そして、平安時代にはさまざまな儀礼が夜に行われた。そう、平安貴族にとって、新宅移徙は儀礼の一つだったのである。

また、新宅移徙には西門が使われたという事実も、平安貴族にとっては新宅移徙が儀礼としての意味を持っていたことを示す。東三条第への移徙の際、藤原道長は同第の西門の前で安倍晴明の到着を待ったが、平安貴族の新宅移徙では西門から新宅に入るのが普通であった。そして、吉田早苗《よしださなえ》氏が「藤原実資《ふじわらのさねすけ》と小野宮第《おののみや》」という論考において明らかにしたように、一般に「寝殿造《しんでんづくり》」と呼ばれるような構えの平安貴族の邸宅（図3）では、その東側半分が居住に用いられるケ向きの空間であったのに対して、残りの西側半分は儀礼に用いられるハレ向きの空間だったのである。

このように、西門を使って夜間に行われたことから、平安貴族が新宅移徒を儀礼の一つと見做していたことは間違いないとして、その新宅移徒という儀礼の中核を成したのが、問題の「新宅作法」であった。新宅移徒においては、人々が新しい家宅に入るにあたり、さまざまな呪術を含む一連の煩雑《はんざつ》な作法が行われねばならなかったが、その「さまざまな呪術を含む一連の煩雑な作法」が「新宅作法」と呼ばれたのである。

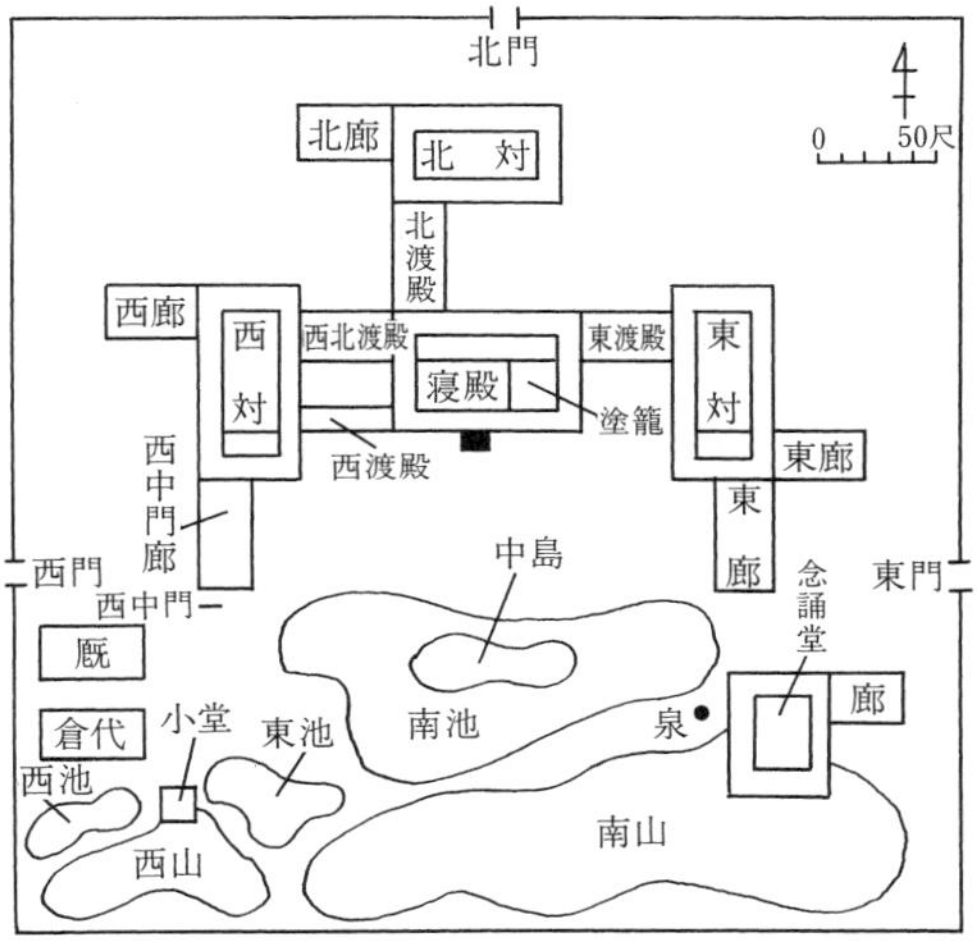

図3　小野宮第推定復元図
（吉田「藤原実資と小野宮第」掲載図を一部改変）

この「新宅作法」は「新宅礼《しんたくのれい》」「新宅儀《しんたくのぎ》」などとも呼ばれたが、どのように呼ばれるにせよ、この「さまざまな呪術を含む一連の煩雑な作法」が行われない限り、平安貴族は新しい家宅を使いはじめることができなかった。平安貴族の引っ越しにおいては、新宅作法は欠かすことのできないものであった。

そして、この新宅作法を指揮したのが、安倍晴明のような陰陽師たちである。平安貴族の新宅移徒に必須《ひっす》のものであった新宅作法は、陰陽師の指揮によって行われたのである。したがって、陰陽師がいなければ、平安貴族は新宅作法を行うことはできなかった。また、当然のことながら、新宅移徙を行うことができなかった。だからこそ、藤原道長は東三条第の門前で安倍晴明を待たねばならなかったのである。

言うまでもなく、家宅というのは、生活文化の非常に重要な要素の一つである。そして、右に見たように、移徙（引っ越し）という場面に着目するならば、平安貴族の家宅と陰陽師との間には浅からぬ関わりがあった。そこで、この章では、新宅移徙の場面を手がかりとして、平安貴族の家宅と陰陽師との関係を見ていくことにしよう。

1　新宅作法の次第

移徙作法勘文

平安貴族が新宅移徙《しんたくいし》を行うことになると、陰陽師の誰かが新宅作法《しんたくのさほう》の指揮を依頼される。そして、依頼を請《う》けた陰陽師は、新宅作法の次第《しだい》を定めた「移徙作法勘文《いしさほうかもん》」というものを書いた。たとえば、藤原道長《みちなが》の孫の藤原師実《もろざね》が康平《こうへい》六年（一〇六三）の七月に花山院《かざんいん》という邸宅への移徙を行った際には、賀茂道平《かものみちひら》という陰陽師が移徙作法勘文を書いたことがはっきりしている。

このときに賀茂道平が書いた移徙作法勘文は、その全文が『類聚雑要抄《るいじゅざつようしょう》』という十二世紀半ばに成立した有職故実書《ゆうそくこじつしょ》に収録されており、そのおかげで、われわれも平安時代の移徙作法勘文の具体的な内容――それはすなわち新宅作法の具体的な次第でもある――を詳しく知ることができる。そして、陰陽師賀茂道平によって書かれた移徙作法勘文は、およそ次のようなものであった。

〔A入宅の順序〕
①童女二人（一人は水を携《たずさ》え、一人は火を携える）が入る。
②黄牛《あめうし》（一人が牽《ひ》く）が入る。
③金宝器《きんほうき》（脚付きの台に載せて二人が担《かつ》ぐ）が入る。
④釜《かま》（未調理の五穀を入れて二人が持つ）が入る。
⑤家長《いえのおさ》が入る。
⑥馬鞍《うまのくら》（一人が担ぐ）が入る。
⑦息子および男孫が入る。
⑧箱（布類を入れて二人が担ぐ）が入る。
⑨瓶《かめ》（調理した五穀を入れて二人が持つ）が入る。
⑩家母《いえのはは》（胸の前に鏡を携える）が入る。
〔B入宅後の作法〕

①水火・金宝器・馬鞍・箱を寝殿に置く。
②釜・瓶を大炊所《おおいどころ》に置く。
③黄牛を庭に繋《つな》ぐ。
④寝殿に南面して座った家長が五菓《ごか》（五種類の果実）を食べて酒を飲む。

〔C翌朝の作法〕
門・戸・井・竈《かまど》・寝殿・庭・厠《かわや》の神々を祀《まつ》る。
（その際、瓶の調理済みの五穀を供物《くもつ》にする。）

〔D翌々朝の作法〕
門・戸・井・竈・寝殿・庭・厠の神々を祀る。
（その際、釜の五穀を童女が持ち込んだ水火で調理して供物にする。）

〔E三ヵ夜の禁忌《きんき》〕
①殺生《せっしょう》をしてはならない。
②嘆《なげ》いてはならない。
③厠を使ってはならない。
④悪口《あっこう》を発してはならない。
⑤音楽を奏してはならない。

⑥人を罰してはならない。
⑦高所に登ってはならない。
⑧深みを覗《のぞ》いてはならない。
⑨親不孝者と面会してはならない。
⑩僧侶を宅内に入れてはならない。

移徙作法勘文の内容——新宅作法の次第——は、その内容によって大きく五つの部分に分けることができる（右のA～Eはその区分を表す）。すなわち、新宅に入る順序に関わる部分（A）、新宅に入ってからの作法に関わる部分（B）、移徙の翌朝の作法に関わる部分（C）、移徙の翌々朝の作法に関わる部分（D）、そして、新宅に入ってからその翌々々朝までの三ヵ夜の間に守らなければならない禁忌に関する部分（E）である。

入宅の順序

先述のごとく、新宅移徙《しんたくいし》の際には西門から新宅に入ることになるが、右の移徙作法勘文《いしさほうかもん》によれば、最初に新宅の門をくぐるのは二人の童女であった（A①）。そのうちの一人は盥《たらい》に入った水を新宅に持ち込み、もう一人は灯《あかり》のかたちで火を新宅にもたらす。それぞれに水と火とを携えたことから、普通、この二人の童女は「水火童女《すいかどうじょ》」と呼ばれる。

その水火童女に続いて新宅に入ったのが黄牛《あめうし》で、これには一人が付き添った（A②）。「黄牛」とは言っても、もちろん、現代人が思い浮かべるような黄色——たとえば信号機の黄色など——の牛がいたわけではない。「黄牛」と書いて「あめうし」と訓《よ》んだように、平安貴族の言う黄牛とは、水飴《みずあめ》や鼈甲飴《べっこうあめ》といった昔ながらの飴のような明るい茶色の体毛を持つ牛のことである。

この後には、金宝器《きんほうき》と釜《かま》とが続く（A③④）。それぞれ二人ずつの手で新宅に運び込まれるが、金宝器は「案《あん》」と呼ばれる脚付きの台に載せられ、また、釜はその中に未調理の五穀を納めていた。この釜に入れられて新宅に持ち込まれた五穀は、後に重要な役割を果たすことになる。

さて、ここでようやく家長《いえのおさ》にも新宅の門をくぐる順番が訪れるのだが（A⑤）、家長は殊更《ことさら》に何かを携える必要はなかったようだ。ただし、当時の古記録《こきろく》によれば、このときの家長の装束《しょうぞく》は、礼装《れいそう》に剣を帯びて笏《しゃく》を持つというものであった（『春記《しゅんき》』長久《ちょうきゅう》元年〈一〇四〇〉十二月十日条）。そして、この点についての注記が移徙作法勘文に見られないのは、家長が礼装にて新宅移徙に臨むことが平安貴族の間で当然視されていたためだろう。

また、家長に続いて馬鞍《うまのくら》が一人に担がれて新宅に入ると（A⑥）、その次には家長の息子や男孫が新宅の門をくぐることになるが（A⑦）、当時の古記録によると、この息子および男孫も礼装にて新宅移徙に臨んでいた（『春記』長久元年十二月十日条）。家長に限らず、新宅移徙に関わる人々は、礼装を着す必要があったのである。これも、平安貴族の新宅移徙が儀礼の一つと見做されていたことによるのだろう。

続いて、箱と瓶《かめ》とがそれぞれ二人ずつに携えられて新宅に運び込まれる（A⑧⑨）。その箱には布類が納められており、また、もう一方の瓶には調理済みの五穀が入れられている。この瓶の中の調理済みの五穀は、先述の釜の中に入っていた未調理の五穀（A④）と同様、後に重要な意味を持つことになる。

そして、最後に新宅の門をくぐったのは、家母《いえのはは》であった（A⑩）。家母というのは、この家の主婦のことであり、普通には家長の正妻のことと考えていいだろう。そんな家母は、入宅に際して、胸の前に鏡を携えることになっていた。また、水火童女（A①）から瓶（A⑨）まではすべて徒歩にて新宅に入ったが、当時の古記録によると、家母だけは乗車のまま門をくぐることもあったようだ（『御堂関白記』寛仁《かんにん》元年〈一〇一七〉十一月十日条）。

なお、右に見た賀茂道平《みちひら》の移徙作法勘文には記載がないものの、家母の入宅に続いて家長の娘や女孫が新宅の門をくぐることがあったらしい。鎌倉時代中期に成立した『二中歴《にちゅうれき》』は平安貴族社会についての百科全書のような書物だが、その『二中歴』に収録されている移徙作法勘文は、胸の前に鏡を携えた家母の入宅に続けて、娘や女孫が新宅に入ることを明記しているのである（『二中歴』第八儀式歴新宅移徙）。道平の書いた移徙作法勘文に娘および女孫についての記載がないのは、おそらく、移徙を行った藤原師実《もろざね》に娘や女孫がなかったためであろう。

入宅後の作法

こうして水火童女《すいかどうじょ》から家母《いえのはは》までが無事に新宅に入ると、水火童女の携えてきた水および火の他、それぞれ一人あるいは二人の手で運び込まれた金宝器・馬鞍・箱などは、寝殿に置かれる（B①）。ここに言う「寝殿」というのは、平安貴族の寝殿造の邸宅における母屋《おもや》のことである（図3参照）。

また、五穀の入った釜《かま》および瓶《かめ》は、大炊所《おおいどころ》に置かれた（B②）。平安貴族の言う「大炊所」というのは、炊飯《すいはん》のための施設であり、寝殿の北側のどこか――藤原実資《さねすけ》の小野宮第《おののみや》のように北対《きたのたい》を持つ邸宅では、北対のさらに北側だったかもしれない――に設けられていたと考えられる。南側を表、北側を裏とする平安貴族の邸宅では、炊飯のような裏方の仕事のための施設は、寝殿の北側（裏側）に置かれたはずである。

この間、新宅に牽《ひ》かれてきた黄牛《あめうし》は、寝殿の前の庭に繋《つな》がれる（B③）。賀茂道平《みちひら》の移徙作法勘文《いしさほうかもん》には明記されていないが、当時の古記録《こきろく》によれば、この黄牛は移徙当夜から翌々々朝までの三ヵ夜を新宅の庭に繋がれたまま過ごすことになる（『御堂関白記』寛弘二年二月十二日条・十三日条）。そのため、黄牛のために庭に仮屋《かりや》が設けられることもあったようだ（『栄花物語《えいがものがたり》』巻第十四あさみどり）。

こうした仕度《したく》が整えられる間、寝殿には家長《いえのおさ》の坐《ざ》が用意される。そして、庭のある南側を向いて寝殿に坐《し》を占めた家長は、そこで酒を飲むとともに五菓《ごか》（五種類の果実）を食べた（B④）。

もちろん、「食べる」とは言っても、それは儀礼的なものであり、五種類の果実を少しずつ口にする程度の行為であったと考えられる。この作法について藤原実資《さねすけ》が「五菓を嘗《な》める」という表現を用いているのもそのためであろう（『小右記《しょうゆうき》』寛仁《かんにん》三年十二月二十一日条）。「嘗」という漢字は、「大嘗《おおなめの》祭《まつり》」「新嘗祭《にいなめのまつり》」といった用例があるように、〈試す〉〈味見をする〉という意味を持つ。

賀茂道平の移徙作法勘文は、五菓として具体的に棗《なつめ》・李《すもも》・栗《くり》・杏《あんず》・桃《もも》を挙げるが、前出の『二中歴《にちゅうれき》』には、道平の勘文と同じく棗・李・栗・杏・桃を五菓と見做す説の他、柑《こうじ》・橘《たちばな》・栗・柿《かき》・梨《なし》をもって五菓とする説が紹介されている（『二中歴』第八供膳歴五菓）。また、右の移徙作法勘文にも、棗・李・栗・杏・桃の五つが揃《そろ》わない場合、「美名《びめい》の果《か》」で代用できるという旨の注記が見える。「美名の果」の意味は〈おいしいと言われる果実〉といったところであり、五菓の内容は必ずしも固定されていなかったものと思われる。

ちなみに、寛仁三年（一〇一九）十二月に新宅移徙《しんたくいし》を行った藤原実資が「当時の美名の物」として用いた五菓は、生栗《なまぐり》・搗栗《つきぐり》・柏《かしわ》・干棗《ほしなつめ》・橘《たちばな》であった（『小右記』寛仁三年十二月二十一日条）。平安貴族の言う「当時」が意味するところは現代語の〈現在〉であるが、生栗・搗栗・柏・干棗・橘の五つこそが、冬の最中の「当時」でも調達の可能な〈おいしいと言われる果実〉だったのだろう。

五菓嘗の由来

ところで、藤原実資《さねすけ》の用いた表現にちなみ、右に見た五菓《ごか》を食べる作法を「五菓嘗《ごかなめ》」と呼ぶとして、新宅作法《しんたくのさほう》の中で行われた五菓嘗は、上代《じょうだい》の占拠儀礼《せんきょぎれい》に由来する作法だったのではないだろうか。というのも、播磨《はりま》国揖保《いぼ》郡の粒丘《いいぼおか》という地名の起源と絡めて、『播磨国風土記《はりまのくにふどき》』が次のような国占神話《くにしめしんわ》を伝えているからである。

あるとき、韓国《からくに》より渡ってきた天日槍命《あまのひぼこのみこと》という神が、播磨国の揖保川の河口にあたる宇頭《うず》の地を訪れ、この国の神である葦原志挙乎命《あしはらのしこおのみこと》（大国主命《おおくにぬしのみこと》）に対して鎮座すべき地の提供を求めた。これを受けた葦原志挙乎命は、天日槍命に海中を与える旨を告げ、客神《まろうどがみ》に播磨国への上陸を認めようとはしなかった。しかし、その措置を不服とした天日槍命は、剣をもって猛烈な勢いで海水を掻《か》き回し、立ち上《のぼ》った大きな波の上に坐を占めた。これを見て天日槍命の強さを思い知った葦原志挙乎命は、天日槍命に先んじてこの国をわがものとしてしまう必要を感じ、国中を巡り歩いて選んだ丘の上で食事をしたのであった。そのときに葦原志挙乎命が口から飯粒《いいぼ》を落としたため、その丘は粒丘《いいぼおか》と呼ばれるようになった。

（『播磨国風土記』揖保郡粒丘）

この国占神話においては、明らかに丘の上での食事が国占の行為として語られている。力と力との衝突では天日槍命には敵《かな》わないと見た葦原志挙乎命は、天日槍命に先んじて丘の上で食事をし、それによって播磨国をわがものとしたのである。そこに介在《かいざい》する論理の解明は後日を期《き》すとして、上代の日本に一定の領域の占拠とそこでの食事とを結びつける観念が存在したことは間違いなかろう。かつての日本には、食事というかたちの占拠儀礼が存在したのである。

また、葦原志挙乎命が国占のための食事をしたのは、国中を巡り歩いて選んだ丘の上であった。わざわざ国中を巡り歩いて選んだというのだから、その丘は国内を一望できるようなところであったろう。そして、そのような場所は、神話的な思考において、国の中心として位置づけられたのではないだろうか。そうだとすれば、上代における占拠儀礼としての食事は、それによって占拠しようとする領域の中心において行われるべきものだったことになる。あるいは、上代人が占拠儀礼として行った食事は、それを行う場所から見渡せる限りの領域に対する支配権を確保するものだったのかもしれない。

ここで平安貴族が新宅作法の中で行った五菓嘗に眼を戻すと、五菓嘗が行われた寝殿というのは、平安貴族の邸宅の中心として位置づけられる場所であり、かつ、新宅の敷地内を広く見渡すことのできる場所でもあった。したがって、平安貴族の新宅移徙における五菓嘗が上代の占拠儀礼に由来するという推測は十分に成り立つのである。

ただし、それを行った平安貴族自身が五菓嘗を占拠儀礼として認識していたかどうかはわからない。仮に五菓嘗の起源が上代の占拠儀礼にあったとしても、それを行う当の平安貴族にとって五菓嘗に新宅の占拠儀礼としての意味があったかどうかは、まったく別の問題なのである。

このように言うのも、後に見るように、この五菓嘗を平安貴族があまり重要視していなかったからに他ならない。もし占拠儀礼として理解していたならば、平安貴族も五菓嘗を相当に重要視したはずである。おそらく、かつては新宅の占拠儀礼として行われていた五菓嘗も、遅くとも平安時代中期までには、その本来の意味を忘れられてしまったのだろう。

翌朝の作法・翌々朝の作法

さて、平安貴族の新宅移徙《しんたくいし》が夜間に行われたことはすでに述べた通りだが、右に見てきたような次第で新宅への入宅を済ませた翌朝、今度は新宅内の諸神に対する祭祀が行われることになっていた(C)。

その諸神というのは、門・戸・井・竈《かまど》・堂《どう》・厠《かわや》の神々である。このうちの「堂」は寝殿(母《おも》屋《や》)のことであり、したがって、門・戸・井・竈・堂(寝殿)・庭・厠の神々というのは、家宅の主要な要素が神格化された存在であったということになるだろう。平安貴族の新宅移徙においては、新《しん》宅作法《たくのさほう》の一環として、家宅の主要な要素を司《つかさど》る神々が祀られたのである。

この諸神への祭祀には、前の晩に瓶《かめ》に入れて持ち込まれた調理済みの五穀(A⑨)が供物《くもつ》として用いられる。そうして見ると、調理済みの五穀の入った瓶は、翌朝に行われる諸神に対する祭祀の供物として、新宅作法に組み入れられていたことになろう。
また、入宅の翌朝に行われたのと同様の祭祀は、入宅の翌々朝にも行われた。すなわち、新宅移徙の当夜を含む三ヵ夜が明けた朝、移徙の翌朝と同じように、門・戸・井・竈・堂・庭・厠の諸神に対する祭祀が行われたのである（D）。

この二度目の祭祀でも、供物として捧《ささ》げられたのは、入宅の際に持ち込まれた五穀であった。ただし、移徙の翌々朝の祭祀で供物とされた五穀は、瓶の調理済みの五穀ではなく、釜《かま》に入れて運び込まれた未調理の五穀（A④）である。そして、この未調理の五穀は、水火童女《すいかどうじょ》が携えていた水および火（A①）によって調理されたうえで、諸神への供物とされた。つまり、未調理の五穀の入った釜も、水火童女の携えた水火も、翌々朝に行われる諸神への祭祀のために、新宅作法に組み入れられていたのである。

そして、入宅の翌朝に門・戸・井・竈・堂・庭・厠の諸神を祀り、さらに、入宅の翌々朝にふたたび門・戸・井・竈・堂・庭・厠の諸神を祀ることで、移徙作法勘文《いしさほうかもん》に記された新宅作法の次第は終了となった。すなわち、夜間に新宅の西門をくぐってから、その翌朝と翌々朝とに新宅内の神々に対する祭祀を行うところまでが、平安貴族の新宅移徙という儀礼だったのである。

三ヵ夜の禁忌

以上に見てきたように、平安貴族が新宅移徙《しんたくいし》の際に行った新宅作法《しんたくのさほう》の要素のいくつかは、新宅の諸神に対する祭祀と関連づけられることによって意味を持った。そして、移徙当夜からその翌々々朝までの三ヵ夜に新宅において守られねばならなかった十ヵ条の禁忌《きんき》（E）も、門・戸・井・竈《かまど》・堂・庭・厠《かわや》といった新宅の神々の祭祀との関係で設定された禁忌であったと考えられる。

まず、容易に想像できるように、厠に関する禁忌（E③）は諸神のうちの厠神《かわやがみ》に配慮したものであろう。また、殺生・嘆き・音楽・刑罰・僧侶に関わる禁忌（E①②⑤⑥⑩）は、当時の朝廷で神事が行われた際に守られなければならなかった禁忌とまったく同様のものである。すなわち、新宅作法として定められた十ヵ条の禁忌の過半は、新宅における神事――門・戸・井・竈・堂・庭・厠の神々に対する祭祀――を行うために必要な禁忌だったのである。

残りの悪口《あっこう》・高所・深み・親不孝者に関する禁忌（E④⑦⑧⑨）については、今のところ、その由来を知ることはできない。しかし、他の六ヵ条の禁忌が新宅の諸神の祭祀に関わる禁忌であったことからすれば、これらも同趣旨の禁忌であったと考えていいのではないだろうか。あるいは、悪口・高所・深み・親不孝者に関する禁忌も、平安貴族にとっては、神事一般に際して守られるべき一般的な禁忌だったのかもしれない。

2　宅神と陰陽師

神事としての新宅作法

二人の童女が携えた水および火（A①・B①）・釜《かま》あるいは瓶《かめ》に入った五穀（A④⑨・B②）・三ヵ夜の禁忌《きんき》（E）など、新宅作法《しんたくのさほう》を構成する要素の少なからぬ部分が、新宅の門・戸・井・竈《かまど》・堂（寝殿）・庭・厠《かわや》の諸神に対する祭祀（C・D）に関連づけられることで意味を持った。すなわち、前節に見たように、水火や五穀は祭祀の供物《くもつ》であり、また、三ヵ夜の禁忌は祭祀に附随《ふずい》する禁忌だったのである。

とすれば、平安貴族の新宅移徙《しんたくいし》に必須のものであった新宅作法については、これを新宅の門神・戸神・井神・竈神・堂神・庭神・厠神といった神々を祀る神事として理解することが許されるだろう。そして、このように理解するならば、新宅移徙が夜間に行われたことも、新宅移徙に西門が使われたことも、人々が礼装にて新宅移徙に臨んだことも、容易に説明がつくようになる。平安貴族の神事においては、夜間・西門・礼装のいずれも不可欠の要素であった。

また、新宅作法が新宅の門神《かどがみ》・戸神《とがみ》・井神《いがみ》・竈神《かまどがみ》・堂神《どうがみ》・庭神《にわがみ》・厠神《かわやがみ》などを祀る神事であったとして、平安貴族が新宅移徙に際してこのような神事を行ったのは、おそらく、入宅後に新宅の諸神とうまくやっていくためであったろう。現代人の間にも引っ越した折には新居の近隣に手土産を持ってあいさつに行く習慣が見られるが、それと同様のものであったと考えればいい。平安貴族の新宅作法というのは、言うなれば、新宅で同居することになる諸神に対するあいさつだったのである。

宅神（家神）

ところで、『陰陽道旧記抄《おんみようどうきゆうきしよう》』というのは、鎌倉時代前期ごろに安倍晴明の子孫によって著《あらわ》された書物であり、晴明流安倍氏の伝えた古書や古説を数多く抄録しているが、この書には次のような一条が見える。

○移徙《いし》の後三年内、宅神《やかつがみ》を祭らずと云々《うんぬん》。

（『陰陽道旧記抄』）

晴明流安倍氏の口伝《くでん》と考えられる右の一条が意味するところは、要するに、新宅移徙《しんたくいし》を行った後の三年間は「宅神」の祭祀を行わないということである。そして、ここで「宅神」と呼ばれているのは、邸宅の門・戸・井・竈《かまど》・堂（寝殿）・庭・厠《かわや》の諸神に他ならない。門神・戸神・井神・竈神・堂神・庭神・厠神を、平安貴族は一括して「宅神」と呼んでいたのである。そして、この「宅神」という語は、ヤカツガミと訓《よ》まれたものと思われる。

また、『陰陽道旧記抄』に見える次の一条からは、ヤカツガミの漢字表記として、「宅神」の他、

「家神」も用いられていたことが知られる。

○百忌暦《ひゃくきれき》の云《い》はく、「竈・門・井・厠は家神也《やかつがみなり》と云々」と。

（『陰陽道旧記抄』）

このように、平安貴族が「宅神（家神）」と呼んだのは、新宅作法《しんたくのさほう》の主役であった門神・戸神・井神・竈神・堂神・庭神・厠神の諸神であった。そして、その「宅神」は、門・戸・井・竈・堂（寝殿）・庭・厠といった家宅の主要な要素が神格化された存在であるがゆえに、平安貴族にとって最も身近な神々であったと考えられる。

宅神の危険性

しかし、最も身近な神々であった宅神《やかつがみ》は、最も危険な神々でもあった。

とくに、竈《かまど》の神である竈神《かまどがみ》は、平安貴族にとって非常に危険な存在であったようだ。当時の古記《こき》録《ろく》には、竈神の祟《たたり》が人々の病気の原因と見做されたことが散見するのである。

たとえば、長和《ちょうわ》二年（一〇一三）の四月に藤原道長《みちなが》が安倍吉平《あべのよしひら》に病気の治療のための禊祓《みそぎはらえ》（解除《げじょ》）を行わせたのは、その病気が竈神の祟を原因とするものと見做されたからであった。ここに登場する安倍吉平は、かの安倍晴明の息子であり、当時の貴族社会で重く用いられた陰陽師の一人である。

○悩む事は猶《な》ほ例《れい》に非《あら》ず。（中略）。吉平を以《もっ》て解除せしむ。竈神の祟なるに依《よ》る也《なり》。

（『御堂関白記《みどうかんぱくき》』長和二年四月十一日条）

また、万寿《まんじゅ》四年（一〇二七）の三月に藤原実資《さねすけ》が病んだ折には、賀茂守道《もりみち》が卜占《ぼくせん》を行っており、この卜占の結果、竈神の祟が病因とされている。この賀茂守道《もりみち》も当時の著名な陰陽師の一人であり、卜占の結果を受けて祟を除去するための禊祓（解除）を行ったのも守道であったと考えられる。

○心神太《おお》いに悩《なや》まし。起き居ること少なく臥《ふ》す時多し。恒盛《つねもり》を以《もっ》て散供《さんぐ》せしむ。守道朝臣《あそん》の占《うらな》ひて云《い》ふやう、「竈神の祟なり」てへり。仍《よ》りて解除せしむ。

（『小右記《しょうゆうき》』万寿四年三月五日条）

竈神の祟を原因とする病気は、平安貴族にとってはとくに珍しいものではなかった。この点については別の章で詳述するが、当時の古記録には竈神の祟による病気が頻繁に登場するのであり、右に挙げた二つの事例も数多《あまた》ある事例のほんの一部に過ぎない。宅神の一つである竈神は、平安貴族にとって最も身近で最も危険な神格であった。

こうした事情からすれば、平安貴族は日頃から竈神の祟を恐れていたと見て間違いない。そして、日常的に竈神の祟を懸念《けねん》していた平安貴族にしてみれば、新宅移徙《しんたくいし》に際して新宅の竈神から祟を受けないように気を配るのはまったく当然のことであった。だからこそ、平安貴族の新宅移徙には、竈神を含む宅神に対する祭祀――これこそが新宅作法《しんたくのさほう》の中核的な意義であったと思われる――が必ず附《ふ》随《ずい》したのだろう。

ただ、今のところは、竈神以外の宅神の祟についての記録は確認されていない。また、管見《かんけん》の限りでは、当時の古記録に竈神以外の宅神が個々に登場することはない。そうした意味では、平安貴族が一括《ひとくく》りに「宅神」と呼んだ諸神――門神・戸神・井神・竈神・堂神・庭神・厠神――の中でも、竈神は際立《きわだ》った存在である。

だが、平安貴族の新宅移徙に際しては、すべての宅神が祭祀の対象とされていた。これまでに確認した事実として、新宅に入る場合、平安貴族はその邸宅のすべての宅神を祀ったのである。これは、平安貴族が竈神以外の宅神についてもその祟を懸念していたことを意味する。やはり、平安貴族にとっては、すべての宅神が祟をもたらしかねない危険な存在だったに違いない。

宅神に対処する陰陽師

一方、平安貴族が日常的に病気の原因として恐れていた竈神《かまどがみ》の祟《たたり》に対処する役割を担《にな》ったのは、右に挙げた二つの事例――藤原道長《みちなが》の病気の事例および藤原実資《さねすけ》の病気の事例――に見たごとく、安倍吉平《よしひら》や賀茂守道《もりみち》のような陰陽師であった。

当時の古記録《こきろく》に見る限り、多くの事例において、竈神の祟が病気の原因であることを突き止めたのは陰陽師の卜占《ぼくせん》であったし、また、竈神の祟を除去する手段として用いられたのは陰陽師の禊祓《みそぎはらえ》であった。平安貴族にとって最も身近で最も危険な神格であった竈神に対処するという大役《たいやく》は、陰陽師が一手に担っていたのである。平安貴族にとっては、陰陽師こそが竈神に対抗できる唯一の存在であった。

また、このことから推測するならば、平安貴族が竈神以外の宅神《やかつがみ》の祟に直面した場合に頼ったのも、やはり、陰陽師であったろう。『陰陽道旧記抄《おんみょうどうきゅうきしょう》』に「竈・門・井・厠は家神《やかつがみ》也」といった記述が見えるごとく、陰陽師が宅神と関わりを持つ存在であったことは間違いない。そして、その陰陽師を除けば、平安貴族の周囲には宅神と関わりを持つ存在はとくに見当たらないのである。とすれば、平安貴族にとっては、陰陽師こそが宅神の危険性に対処できる唯一の存在であったに違いない。

このような事情からすれば、新宅移徙《しんたくいし》の際に新宅作法《しんたくのさほう》が陰陽師によって指導されたことは、平安貴族には当然のことであったろう。繰り返し述べてきたように、平安貴族が行った新宅作法は、門神・戸神・井神・竈神・堂神・庭神・厠神などの宅神を祀る神事であった。平安貴族にとって、新宅作法は宅神の祟に備える予防的な対抗手段だったのである。されば、平安貴族が安心して新宅作法の指導を任せることができたのは、彼ら自身が宅神に対抗できる唯一の存在と見做していた陰陽師だけであったろう。

四月・十一月の宅神祭

ところで、先に『陰陽道旧記抄《おんみょうどうきゅうきしょう》』に見た晴明流安倍氏の口伝《くでん》は、平安貴族が新宅移徙《しんたくいし》とは関係のない脈絡においても宅神《やかつがみ》に対する祭祀を行っていたことを示唆する。すなわち、「移徙の後三年内、宅神を祭らず」——新宅移徙当夜の翌々々朝の祭祀から三年間、その家宅では宅神を祀らない——というのは、裏を返せば、「移徙の後三年内」を過ぎた家宅では新宅移徙とは無関係に宅神が祀られていたということであろう。

そして、実際のところ、平安貴族は毎年の四月と十一月とに宅神に対する祭祀を行っていた。次に引く『小右記《しょうゆうき》』および『権記《ごんき》』に見える「宅神祭《やかつがみのまつり》（たくしんさい）」がそれである。

○宅神祭。（『小右記』万寿《まんじゅ》二年〈一〇二五〉十一月二十一日条）

○宅神祭。（『小右記』長元《ちょうげん》元年〈一〇二八〉十一月二十五日条）

○宅神祭也《なり》。（『権記』寛弘元年〈一〇〇四〉四月二十九日条）

また、四月・十一月の宅神祭については、藤原定家《ふじわらのさだいえ》の日記である『明月記《めいげっき》』にも次のような記事が見える。藤原定家は鎌倉時代前期の歌人として知られる人物だが、その定家の日記からは、竈神《かまどがみ》を含む宅神を祀る宅神祭が鎌倉時代の貴族の家宅でも行われていたことが知られるとともに、その宅神祭が「家神祭」とも記されたことが知られよう。

○今夜、家神祭《やかつがみのまつり》なりと云々《うんぬん》。件《くだん》の竈神、日来《ひごろ》は坊門《ぼうもん》に坐《ざ》す。
（『明月記』正治《しょうじ》元年〈一一九九〉四月三十日条）

なお、『小右記』や『権記』は宅神祭を行った時刻を明記していなかったが、右の『明月記』によれば、藤原定家の居宅の宅神祭は明らかに夜間に行われていた。このことから見て、おそらくは、平安時代の宅神祭も夜間の神事であったろう。

宅神祭の重要性

このような四月・十一月の宅神祭《やかつがみのまつり》は、平安貴族にとって、一定の重要性を持つ神事であったらしい。というのも、次の『左経記《さけいき》』に見えるように、源経頼《みなもとのつねより》のごとく後生《ごしょう》のために念誦《ねんじゅ》を日課としていた者でも、宅神祭の日には念誦を取り止めて宅神《やかつがみ》の祭祀に従事したからである。

○宅神を祭る。仍《よ》りて念誦せず。
（『左経記』万寿《まんじゅ》二年四月二十六日条）

かつて堀一郎《ほりいちろう》翁が「神仏習合に関する一考察」において明らかにしたように、平安時代中期には神事に仏事を近づけてはならないという神仏分離の観念が稀薄になっていた。たとえば、自邸から春日《かすが》祭《さい》に奉幣使《ほうへいし》を派遣した藤原実資《さねすけ》が、その日に自邸で念誦や読経《どきょう》を行ったごとくである（『小右記《しょうゆうき》』万寿二年十一月五日条）。恵心僧都源信《えしんそうずげんしん》の『往生要集《おうじょうようしゅう》』の影響などもあって来世《らいせ》志向的な信仰が盛り上がりつつあったためか、平安貴族は春日祭のような大きな神事に関わる日に仏事を行うことをも憚《はばか》らなくなっていたのである。

ところが、源経頼は宅神祭のために日課の念誦を取り止めたのであった。家宅ごとに宅神を祀るだけの宅神祭など、春日祭とは比べるべくもないほどに小さな神事に過ぎない。平安貴族が行った数々の神事の中でも、宅神祭は最も小規模なものの一つであったろう。だが、右に引いた『左経記』に見えるように、確かに経頼は宅神祭のために日課の念誦を中止したのである。平安貴族にとって、宅神祭はそれほどに重要な神事だったのだろう。

ただ、その重要な神事も、新宅移徙《しんたくいし》の後の三年間は行われなかったという。すでに見たように、新宅移徙の際には、移徙当夜の翌朝と翌々朝とに宅神に対する祭祀が行われたが、『陰陽道旧記抄《おんみょうどうきゅうきしょう》』に「移徙の後三年内、宅神を祭らず」と見えるように、その後の三年間、移徙のあった家宅では四月・十一月の定例の宅神祭は行われなかったのである。

このような例外規定が設けられた理由はよくわからない。その祟《たたり》が日常的に懸念されるような神格に対してならば、もっと頻繁に祭祀を行えばよさそうなものだが、ことによると、平安貴族は過剰な祭祀が逆効果をもたらすとでも考えていたのだろうか。あるいは、新宅移徙の際に行われる二度の祭祀が、その後の三年分の定例の祭祀に相当すると見做されていたのかもしれない。いずれにせよ、平安貴族に「移徙の後三年内、宅神を祭らず」ということを指導したのも、宅神への対処の専門家と見做されていた陰陽師であったと考えられる。

四月・十一月の氏神祭祀

ところで、平安京に住む貴族層の人々が自邸において定例の宅神祭《やかつがみのまつり》を行った四月および十一月、地方の農村に住む人々は祖霊《それい》に対する祭祀を行っていた。

寛平《かんぴょう》七年（八九五）十二月、朝廷は平安京の住人であるべき貴族や王族が許可なく都《みやこ》を離れることを禁じた。これは「応《まさ》に五位以上及び孫王《そんおう》の輒《みだり》に畿内《きない》に出《い》づるを禁止すべき事」を定めた寛平七年十二月三日付の太政官符《だじょうかんぷ》による禁制であるが、その根拠は都を離れた貴族や王族が畿内の諸国で人々の生業を妨《さまた》げていたことにあった。畿内というのは、都のあった山城《やましろ》国およびその近隣に置かれた大和《やまと》国・摂津《せっつ》国・河内《かわち》国・和泉《いずみ》国のことである。

しかし、右の禁制にはいくつかの例外規定もあり、その一つとして「先祖の常祀《つねのまつり》」であった祖霊祭祀（「氏神《うじがみ》」の祭祀）のための下向《げこう》は許されることになっていた。禁制の対象であった貴族層の人々の多くが、畿内の諸国を祖霊（「氏神」）の地としていたためである。官符には次のように記されている。

○又《また》諸人の氏神、多く畿内に在《あ》り。毎年の二月・四月・十一月、何《いず》くんぞ先祖の常祀を廃《はい》せん。若《も》し申請有らば直《ただ》ちに官宣《かんせん》を下《くだ》さん。

（『類聚三代格《るいじゅさんだいきゃく》』巻十九禁制事）

こうして、普段は平安京に住む人々が二月・四月・十一月にわざわざ畿内に出て祖霊祭祀（「氏神」の祭祀）を行うことがあったことが明らかになった。しかも、そうした祖霊祭祀は、先祖代々に行われてきた「先祖の常祀」であったという。

　このことを踏まえるならば、普段から畿内諸国の農村に住んでいた人々が、同じ時期に同じことを行っていなかったとは考えにくい。都の貴族層の人々が家宅ごとに宅神祭を行った四月および十一月、地方の農村に住む人々は祖霊祭祀を行っていたと見るのが妥当であろう。

　なお、右の太政官符に注目した柳田國男《やなぎたくにお》翁は、「民間暦小考《みんかんれきしょうこう》」という論考において、官符に見える二月・四月・十一月の「氏神」の祭祀を、農村における農耕に関わる神事として位置づけている。

　畿内の諸国で「氏神」の祭祀が行われたとされる二月・四月・十一月は、言うまでもなく、いずれも農事暦における重要な節目にあたる。盛春の旧二月は種蒔《たねま》きや苗代《なえしろ》作りの時期であり、盛冬の旧十一月は収穫の時期である。したがって、二月の神事が播種祭《はしゅさい》であったことや十一月の神事が収穫祭であったことは想像に難《かた》くない。また、柳田翁によれば、「水田の農事が将《まさ》に企《くわだ》てられんとする直《す》ぐ前」である初夏の旧四月に行われた神事は、山から田《た》の神《かみ》を迎えるためのものであった。

　しかし、柳田翁は太政官符に見える「氏神」祭祀が祖霊祭祀であることを否定したわけではない。周知のごとく、柳田民俗学においては、田の神は祖霊そのものと見做されたのである（図4）。

祖霊 ＝ 山の神 ＝ 田の神 ＝ 家の神（竈神）

・死者の霊は山へ（祖霊として山に住む）
　→ 山中他界観

・冬は山で祀られる（山から子孫を見守る）
　→「山の神」の祭祀

・春〜秋は里で祀られる（水田で子孫の稲作を助ける）
　→「田の神」の祭祀

・家の竈で祀られることも（子孫の生活を見守る）
　→「家の神（竈神）」の祭祀
　　　　　　　　　　　　　→ 宅神祭

図4　柳田民俗学の祖霊論

農村の宅神祭（宅神の始原）

次の一首は『古今和歌集《こきんわかしゅう》』の編者として知られる紀貫之《きのつらゆき》の私家集である『貫之集《つらゆきしゅう》』から引いたものだが、ここで「氏神《うじかみ》の花」とされている卯《う》の花は旧暦の四月に咲いた花である。そして、戸田芳実《とだよしみ》氏が「律令制からの解放」という論考の中で触れたように、「平安時代でも卯花垣《うのはながき》は、四月の農村集落の美しい風物詩であった」。貫之が歌に詠《よ》んだのは、平安時代の農村で行われた四月の祖霊祭祀（「氏神」の祭祀）であったろう。

○まつるとき《〔祀る時〕》　さきもあふかな《〔咲きも合ふかな〕》　うのはなは《〔卯の花は〕》
なほうぢがみの《〔猶ほ氏神の〕》　はなにぞありける《〔花にぞ有りける〕》

そして、平安時代の農村で毎年の二月・四月・十一月に行われた祖霊祭祀（「氏神」の祭祀）のうち、少なくとも四月に行われたものは、当時の人々によって「宅神祭《やかつがみのまつり》」として認識されていたらしい。というのも、平安貴族が次のような歌を詠んでいるからである。

○やまがつの《〔山賤の〕》　かきねにいはふ《〔垣根に祝ふ〕》　やかつがみ《〔宅神〕》　うのはなさける《〔卯の花咲ける〕》　をかにみえるかも《〔岡に見えるかも〕》
○あつかたて《〔束草立て〕》　はさらとりすゑ《〔葉皿取り据ゑ〕》　やかつがみ《〔宅神〕》　まつるうづきに《〔祀る卯月に〕》　はやなりぬとか《〔早なりぬとか〕》

右の二首は平安時代後期の『木工権頭《もくごんのかみ》為忠《ためただ》朝臣《あそん》家百首《けひやくしゆ》』に見えるものだが、これらの歌に詠み込まれた内容から、平安時代の農村の人々（山賤）が四月（卯月）に宅神《やかつがみ》を祀っていたことは明らかであろう。そして、ここに確認された農村の宅神祭は、先の太政官符に見えた祖霊祭祀（「氏神」の祭祀）と同じものであったと考えられる。すなわち、平安貴族が宅神祭というものを行った四月および十一月、農村の人々も宅神に対する祭祀を行っていたが、農村における宅神祭は祖霊祭祀だったのである。

ここでふたたび柳田民俗学を持ち出すとして、農村の宅神祭が祖霊祭祀であったことは、柳田翁の祖霊論では当然のこととして説明されるだろう。柳田翁の祖霊論の集大成とも言うべき『先祖の話』によれば、日本人にとっての祖霊は、山の上から子孫の繁栄を見守る山《やま》の神《かみ》であるとともに、水田で子孫の農耕を助ける田《た》の神《かみ》でもあったが、さらには、竈《かまど》に宿って子孫の家庭生活を保護する家《いえ》の神《かみ》（竈神《かまどがみ》）でもあった。〈祖霊＝山の神＝田の神＝家の神（竈神）〉というのが、柳田民俗学の基本的な理解なのである。

なお、単に「家の神」と言った場合、その意味するところとして〈家宅の神〉と〈家系の神〉とが混同されそうだが、柳田翁の祖霊論における「家の神」は、明らかに〈家系の神〉を意味する。祖霊と同一視される「家の神」であるから、これは当然のことであろう。そして、平安時代の農村で祀られた宅神についても、これを〈家系の神〉として理解するのが妥当であるように思われる。

このように、平安時代の農村においては、宅神祭は祖霊祭祀であり、宅神は〈家系の神〉としての祖霊であった。すなわち、祖霊こそが宅神の始原だったのである。そして、後に詳しく述べるように、その始原から逸脱《いつだつ》してしまったのが、平安京という都市において家宅ごとに祀られた宅神であった。

天道花と束草

ときに、平安時代の農村の人々は、どのようなかたちで〈家系の神〉である宅神《やかつがみ》＝祖霊《それい》を祀っていたのだろうか。

実は、次に引用する二つの和歌には、農村の宅神祭《やかつがみのまつり》の具体的な様子を知るための重要な手がかりが詠み込まれている。ここでは話を進めるうえでの便宜を考えて漢字と仮名とを混《ま》じえた体裁で引用したが、この二首はいずれもすでに紹介した『木工権頭為忠朝臣家百首《もくごんのかみためただあそんけひやくしゆ》』に見える歌である。

○山賤《やまがつ》の／垣根に祝ふ／宅神／卯《う》の花咲ける／岡に見えるかも
○束草《あつか》立て／葉皿《はさら》取り据ゑ／宅神／祀る卯月に／早なりぬとか

「山賤の／垣根に祝ふ／宅神」と言うからには、農村における宅神＝祖霊に対する祭祀は、農家の垣根の周辺で行われたのだろう。この場合の垣根は、戸田芳実氏が「四月の農村集落の美しい風物詩であった」とする卯の花の垣根（卯花垣）であったと考えられる。そして、その垣根の周辺には、「束草立て／葉皿取り据ゑ／宅神／祀る……」と見えるごとく、宅神を祀る用意として、「束草」というものが立てられ、かつ、「葉皿」というものが置かれたのである。

ここで問題になるのが「束草」とは何かということだが、保立道久《ほたてみちひさ》氏の「巨柱神話と天道花《てんとうばな》」という論考によれば、「束草」というのは、かつて柳田國男翁が注目した「天道花《てんとうばな》」の古い名称であった。すなわち、保立氏の見解では、平安時代の農村の人々が四月の宅神祭のために立てた「束草《あつか》」は、今も各地に見られる「天道花」と同様のものなのである。

柳田翁が「卯月八日」という論考において「天道花」の名称で取り上げたのは、先端に飾りをつけた竿柱《さおばしら》であった。山開きの日である旧暦の四月八日の民俗として、その日に山から摘《つ》んできた花を先端につけた竹竿が立てられるが、この民俗に着目した柳田翁は、その卯月八日の竿柱に類する民俗を「天道花」として範疇化したのである（図5）。そして、柳田翁の『祭日考』には、天道花が祖霊の依《よ》り代《しろ》であった可能性も示唆されている。

図5　卯月八日の天道花
（福井県三方町伊良積，萩原秀三郎氏所蔵）

また、宮本常一《みやもとつねいち》翁が『絵巻物による日本常民生活絵引』において指摘したように、柳田翁が「天道花」と呼んだものは、中世の絵巻物にも描かれていた。南北朝時代の『慕帰絵詞《ぼきえことば》』に民家から伸びる竿柱を見つけた宮本翁は、それについて「竿頭に箒《ほうき》ようのものをつけたのは四月八日にたてる天道花のようなものであろうか」との注記を加えたのである（図6・図7）。さらに、鎌倉時代の『一遍聖《いっぺんひじり》絵《え》』や『松崎天神縁起《まつざきてんじんえんぎ》』にも天道花が描かれていることを見出した保立氏は、前掲の論考において「鎌倉期から南北朝期まで、この風習がある程度一般的に行なわれていたことは確実となった」と断じている（図8・図9）。

どうやら、柳田翁が「天道花」と呼んだ民俗は、遅くとも鎌倉時代までには広く行われるようになっていたらしい。とすれば、この民俗がすでに平安時代の農村で行われていたとしても不思議はない。そして、保立氏によれば、「束草立て／葉皿取り据ゑ／宅神／祀る……」と詠まれた「束草」こそが、平安時代の農村に見られた天道花なのである。

以上のことからすれば、平安時代の農村において宅神祭の折に立てられた「束草」は、宅神＝祖霊を依《よ》り憑《つ》かせるための依り代であったろう。それは、山の神でもあった祖霊を山から里の家々へと招くためのものであったと考えられる。そして、このときに宅神＝祖霊への供物《くもつ》を載せて「束草」の根元に置かれたのが、「束草立て／葉皿取り据ゑ」と詠まれた「葉皿」であったろう。

図6　『慕帰絵詞』巻6（西本願寺所蔵）
○内に天道花が描かれている．

図7　『慕帰絵詞』巻9（西本願寺所蔵）

図8　『一遍聖絵』巻1（清浄光寺所蔵）

図9　『松崎天神縁起』巻6（模本，東京国立博物館所蔵）

竈神の特殊性

このように、平安時代の農村の宅神祭《やかつがみのまつり》は山から迎えた祖霊に対する祭祀であったが、これは祖霊が家の神であるとともに山の神でもあったことによる。そして、四月の宅神祭の日に家々に立てられた「束草《あつか》」を依《よ》り代《しろ》として山から下りてきた祖霊＝山の神は、家々の竈《かまど》に宿って竈神《かまどがみ》となったと考えられる。柳田民俗学の祖霊論の基本的な理解では、竈神となった祖霊こそが、農村の家々の宅神《やかつがみ》なのである。保立氏が前掲の論考で「宅神祭の実態は『竈神祭』であり」とする背景にも、柳田民俗学的な理解があるものと思われる。

一方、平安貴族が宅神として祀ったのは、門神・戸神・井神・竈神・堂神・庭神・厠神といった神々であった。すでに見たように、平安貴族が新宅移徙を行う際には、これらの諸神が等しく祭祀の対象とされることになっていた。また、『陰陽道旧記抄《おんみょうどうきゅうきしょう》』にも「竈・門・井・厠は家神《やかつがみ》也」と見えており、平安貴族にとっての宅神が竈神に限られていなかったことは確かである。

しかし、平安貴族が宅神として祀った諸神の中で、竈神は明らかに際立った存在であった。先に見たように、平安貴族は日常的に竈神の祟《たたり》を恐れていたが、他の宅神が人々に同様の恐れを抱かせることはなかった。竈神が平安貴族にとって最も印象的な宅神であったことは疑うべくもない。

そして、平安貴族と竈神との濃密な関係は、祟を媒介としたものだけではなかった。勝田至《かつだいたる》氏が『死者たちの中世』の中でいくつかの事例を挙げて紹介するように、平安貴族が死ぬとその死者のものであった竈神が山に捨てられるという事実が確認されるのである。

たとえば、保元《ほうげん》の乱で敗死した藤原頼長《よりなが》の日記は『台記《たいき》』の名称で知られるが、その『台記』によれば、頼長の姉で鳥羽《とば》上皇の皇后となった高陽院《かやのいん》藤原泰子《やすこ》が没すると、彼女の竈神は葬儀の後に「深《み》山《やま》」に捨てられている（『台記』保元元年〈一一五六〉七月二日条）。また、保元の乱で弟の頼長を破った関白藤原忠通《ただみち》の妻室が没した折にも、同じように死者の竈神が捨てられた。摂関家の家司《けいし》を務めた平信範《たいらののぶのり》の日記である『兵範記《ひょうはんき》』に詳しい記録が見えるが、忠通室の竈神は東山《ひがしやま》に捨てられたという（『兵範記』久寿《きゅうじゅ》二年〈一一五五〉九月二十一日条）。

なお、『兵範記』によると、忠通室が没する以前、彼女の竈神と忠通の竈神とは忠通邸の某所に並べて安置されていた。すなわち、平安貴族の邸宅には、家長《いえのおさ》の竈神と家母《いえのはは》の竈神とが祀られていたのである。『兵範記』の記述に従えば、家長の竈神を家母の竈神の東側に置き、家母の竈神を家長の竈神の西側に置いて、平安貴族は夫婦の竈神を並べて祀っていたらしい。

そして、このような慣行《かんこう》は、すでに平安時代中期には存在していた。というのも、死んだ妻の竈神を山に捨てたことについて、平信範が次のように証言しているからである。

○竈神一社、取《と》り別《わ》きて山路《やまじ》に棄《す》て置《お》き了《お》はんぬ。（中略）。中古《ちゅうこ》の例に云はく、「竈神両社の中、左方を以《もっ》て女房《にょうぼう》と為すと云々」と。

（『兵範記』嘉応《かおう》二年〈一一七〇〉五月十二日条）

信範は葬儀と前後して妻の竈神を山に捨てるように手配をしたわけだが、このときに捨てられたのは、信範邸の「竈神両社」のうちの左側のものであった。普通、神祇は南面するように祀られるため、右の『兵範記』に「左方を以て女房と為す」と見える「左方」は、竈神と対面して立った者にとっての左側となる西側にあたる。やはり、家母の竈神は家長の竈神の西側に置かれたのである。

それはともかく、ここで注目したいのは、「竈神両社の中、左方を以て女房と為す」という慣行が「中古の例」と見做されていることである。「竈神両社の中、左方を以て女房と為す」という慣行は、平安時代後期の人々によって平安時代中期以前から続くものとして理解されていたのである。

念のために一言しておくと、筆者が「中古の例」と読んだ部分は、増補史料大成では「中右の例」として活字化されている。また、和歌森太郎《わかもりたろう》翁の「カマド神信仰」という論考は、この箇所を「中右の例」と読んだうえで、藤原宗忠《ふじわらのむねただ》の日記である『中右記《ちゅうゆうき》』に見える例と解している。しかし、陽明文庫所蔵の清書本を影印本《えいいんぼん》で見る限り、ここは「中古の例」と読むのが正しいように思われる。

そして、ここで「中古の例」と言われているのは、「竈神両社の中、左方を以て女房と為す」という慣行だけではあるまい。平信範にとっては、この慣行に言及する前提となった「竈神一社、取り別きて山路に棄て置き了はんぬ」という行為も、「中古の例」だったのではないだろうか。

そもそも、平安時代中期以前の早い時期から「竈神両社の中、左方を以て女房と為す」という慣行があったのは、平安貴族が古くから死者の竈神を山に捨ててきたためであろう。死者の竈神を捨てるような事情でもない限り、どの竈神が誰の竈神であるかを判別する必要はなかったはずである。

都市の宅神祭（宅神の変質）

さて、平安京という都市に住む平安貴族が家宅ごとに祀っていた宅神《やかつがみ》は、〈家系の神〉であったろうか、それとも、〈家宅の神〉であったろうか。

すでに見たように、平安貴族が宅神として祀ったのは、門神・戸神・井神・竈神《かまどがみ》・堂神・庭神・厠神の諸神である。これらの神々は、家宅の主要な要素である門・戸・井・竈・堂（寝殿）・庭・厠が神格化された存在であった。そして、それゆえにこそ、新宅に入るにあたり、平安貴族は宅神に対する祭祀——宅神へのあいさつ——を欠かさなかったのである。都市に住む平安貴族の宅神は、明らかに〈家宅の神〉であった。

しかし、平安貴族の家宅で〈家宅の神〉として祀られた都市の宅神も、その出自は〈家系の神〉である農村の宅神＝祖霊《それい》に求められるはずである。平安時代には都市貴族となっていた人々も、その祖先は地方に居住して直接に農村を支配した地方豪族であった。したがって、平安時代の都市の宅神も、はるかな昔に平安貴族の先祖によって農村から都市へと連れ出される以前には、農村の宅神＝祖霊だったはずなのである。

その証拠に、平安貴族が宅神として祀った神々の中では、竈神が他を圧倒する存在感を持っていた。

これは、農村においては竈神となった祖霊こそが家々の宅神であったことに由来する。その一方で、竈神以外の諸神の存在感の稀薄さは、その宅神としての歴史の浅さに起因しているのだろう。それらの諸神は、農村に由来しない宅神――都市において新たに宅神となった神々――であったと考えられる。

そして、平安貴族の竈神は、わずかにではあるものの、農村の宅神＝祖霊であったころの面影《おもかげ》を止めている。すなわち、平安貴族が死者の竈神を山に捨てたように、平安貴族の竈神は、農村において祖霊の鎮《しず》まる場所とされた山と深い関わりを持っていたのである。平安貴族の間に見られた死者の竈神を山に捨てる慣行は、元来、新たな祖霊を産み出すために死者の霊を山に送るという観念に根ざすものであったと考えられる。その慣行の背景には、農村の祖霊祭祀と不可分に結びついた山中他界《さんちゅうたかい》観《かん》があったに違いない。

ところが、平安京という都市に連れ出された宅神＝竈神は、もののみごとに〈家系の神〉から〈家宅の神〉へと変質してしまった。その端的な例が、「移徙《いし》の後三年内、宅神を祭らず」という扱いに甘《あま》んじるようになったことである。

祖霊という〈家系の神〉でもあった農村の宅神＝竈神ならば、三年間もの長きにわたって定例の祭祀がなくなるようなことはあり得ない。農耕を生業とする農村では、祖霊でもあり田の神《たかみ》でもあった宅神の祭祀が不可欠だったからである。したがって、「移徙の後三年内、宅神を祭らず」とされた都市の宅神＝竈神は、すでに田の神としての一面を完全に失っていたことになる。

もちろん、都市の宅神が田の神ではなくなったのは、農村から都市に出ることによって農耕との縁が切れたためである。都市の宅神には、田の神であり続ける必要がなかった。そして、田の神である必要がなくなった都市の宅神は、しだいに山《やま》の神《かみ》でも祖霊でもなくなっていったのだろう。農村を離れた宅神＝竈神は、徐々に〈家系の神〉ではなくなっていったものと思われる。

やがて、都市においては、竈神に門神・戸神・井神・堂神・庭神・厠神を加えた諸神が宅神として祀られるようになる。この新しい宅神は、家宅の主要な要素が神格化された存在であった。〈家宅の神〉としての都市の宅神が誕生したのである。かつては農村の宅神として〈家系の神〉＝祖霊であった竈神も、今や門神・戸神・井神・堂神・庭神・厠神と並んで〈家宅の神〉の一員であった。農村の宅神＝竈神は、都市において〈家系の神〉から〈家宅の神〉へと変質したのである。

そして、こうした変質の過程には、少なからず陰陽師が関与していたに違いない。

このように断ずる根拠は、これまでに見てきた宅神と陰陽師との関係である。たとえば、移徙に際して宅神を祀る新宅作法《しんたくのさほう》は宅神の〈家宅の神〉としての位置づけを端的に表すものだが、その新宅作法を指導したのは他ならぬ陰陽師であった。また、「移徙の後三年内、宅神を祭らず」という、宅神が〈家宅の神〉であることを決定づける慣行も、陰陽師の指導によるものであった。平安京という都市における宅神の祭祀は、陰陽師によって取り仕切られていたのである。

3　土公神と陰陽師

家宅に黄牛を牽くことの意味

長元《ちょうげん》五年（一〇三二）の四月のこと、関白藤原頼通《よりみち》は堀川大路《ほりかわおおじ》に面して西門を開く大邸宅への移徙《いし》を行った。この堀河第は以前より頼通が所有していた邸宅（「旧所《きゅうしょ》」）の一つであり、その意味では、このときの移徙は言葉通りの「新宅移徙《しんたくいし》」ではなかった。そのため、頼通は新宅作法《しんたくのきほう》を行わずに移徙を行うつもりであったという。

ところが、この頼通の思惑には多くの人々が異を唱えた。たとえば、『左経記《さけいき》』によれば、その記主である源《みなもとの》経頼《つねより》は、かつて村上《むらかみ》天皇が冷泉院《れいぜいいん》への移徙を行ったときの先例を根拠に、せめて黄牛《あめうし》を牽《ひ》く作法だけでも行うべきである旨の進言をしている。

○申して云《い》ふやう、「村上の御時、冷泉院に渡らしむるの時、旧所為《た》るに依《よ》りて、新宅儀《しんたくのぎ》を用ふべからずの由《よし》、議有り。而《しか》るに保憲《やすのり》の申して云ふやう、『旧宅と雖《いえど》も犯土《はんど》の造作《ぞうさ》有らば、何ぞ其《そ》の礼無からんや。就中《なかんずく》、黄牛を牽く、是《これ》は土公《つちぎみ》を厭《えん》ずるの意なり。尤《もっと》も備ふべき礼儀なりと云々《うんぬん》』と。仍《よ》りて新宅に渡るの礼を用ひらる。彼《か》に准《なぞら》へて此《これ》を思ふに、猶《な》ほ黄牛は有るべきなり。（中略）」と。

（『左経記』長元五年四月四日条）

また、『左経記』の伝えるところでは、このとき、頼通の同母弟である内大臣藤原教通《のりみち》（内府《ないふ》）も、経頼と同様の見解を頼通に示したらしい。教通の場合には、亡き父の藤原道長（「故殿《こどの》」）よりの教えを根拠として、「旧宅」への移徙にあたっても黄牛を牽く作法だけは行うべきだと考えたようである。

○就中《なかんずく》、夜部、内府の示されて云ふやう、「故殿の仰せに云ふやう、『旧宅と雖《いえど》も尚《な》ほ黄牛を牽くべし。是は犯土に依りて土公を厭ずる為なり。道光《みちみつ》の伝ふる所也《なり》』てへり。仍《よ》りて度々《たびたび》旧宅に渡るの時、皆牛を牽くと云々」と。

（『左経記』長元五年四月四日条）

宅内に黄牛を牽き入れるという作法は、平安貴族の新宅移徙に際して行われた新宅作法（新宅儀・新宅礼）の一部であった。前々節に見たように、新宅作法として牽かれる黄牛は、入宅の際、水火童《すいかどう》女《じょ》に続いて二番目に新宅の門をくぐり、その後、新宅移徙が終了するまでの三ヵ夜を新宅の庭に繋《つな》がれて過ごすことになっていたのである（A②・B③）。また、これと同様の作法は、右に『左経記』に見た源経頼や藤原教通の主張から察するに、「旧所」あるいは「旧宅」と呼ばれるような新宅ではない家宅への移徙に際しても行われていたらしい。

そして、経頼と教通とが異口同音に述べているように、平安貴族の理解では、移徙に際して黄牛を牽く作法には、宅内の土公神《つちぎみのかみ》を鎮める（「土公を厭ずる」）という意味があった。また、こうした理解の根拠となったのは、陰陽師の所説であった。経頼が自説の根拠とした村上天皇の時代の先例は、賀《か》茂保憲《ものやすのり》という陰陽師の所説に依拠したものである。教通が亡き父親から受けた教えは、文道光《ふみのみちみつ》という陰陽師の所説そのものに他ならない。

前節に見たように、平安貴族が新宅移徙に際して必ず行った新宅作法は、新宅の宅神《やかつがみ》を祀る神事として理解することのできるものであった。しかし、新宅作法として行われる作法のすべてが、宅神に対する祭祀に結びついていたわけではない。右に見たように、新宅に黄牛を牽き入れるという作法には、明らかに宅神への祭祀とは関係のない意味が与えられていたのである。平安貴族の理解では、この作法は宅内の土公神を鎮める（「土公を厭ずる」）ためのものであった。

しかも、このような理解は、陰陽師の所説に導かれたものであった。宅神に対する祭祀をめぐって平安貴族を指導する役割を担《にな》った陰陽師は、家宅の土公神を鎮めるうえでも平安貴族を指導する立場にあったのである。

土公神の危険性

平安貴族が「土公神《つちぎみのかみ》」と呼んだ神格は、土地の精霊のような存在であった。そして、家宅ごとに必ず土公神が住み着いているというのが、平安貴族が土公神について持っていた基本的な理解であった。『和名類聚抄《わみょうるいじゅしょう》』というのは三十六歌仙の一人として知られる源順《したごう》が十世紀の前葉に撰述したとされる辞書だが、その『和名類聚抄』は土公神について次のように記している。

○土公　董仲舒《とうちゅうじょ》書の云《い》はく、土公は鶩空也《どくうなり》。二反。

春三月は竈《かまど》に在り。夏三月は門に在り。秋三月は井に在り。冬三月は庭に在り。

（『和名類聚抄』巻二鬼神部神霊類）

この説明からは、平安貴族が「土公」を「どくう」とも読んだことが知られる。また、右の説明によれば、平安貴族の理解する土公神《つちぎみのかみ（どくうじん）》は、季節に応じて家宅の竈《かまど》・門・井・庭のいずれかに宿る神であった。そして、その竈・門・井・庭は平安貴族の邸宅には不可欠の要素であったから、平安貴族はそれぞれの家宅に必ず土公神が住み着いているという理解を持っていたはずである。したがって、土公神というのは、平安貴族にとって、最も身近な神格の一つであったろう。

しかし、平安貴族にとっての土公神は、身近な神であると同時に、危険な神でもあった。というのは、平安時代中期の古記録《こきろく》には、しばしば土公神の祟《たたり》を原因とする病気のことが見えるからである。平安貴族の理解では、土公神は頻繁に祟をもたらす神格の一つであり、また、その祟はよく知られた病気の原因の一つであった。

たとえば、民部卿《みんぶきょう》源俊賢《としかた》が病臥《びょうが》した折、藤原実資《さねすけ》が見舞いの手紙を送ったところ、俊賢はその病気の原因について「土公の祟なり」と報じている。足から股《また》にかけての下半身が腫《は》れ上がるという症状に、俊賢は「苦しきこと堪《た》ふべからず」と洩《も》らすほどに苦しんでいたが、この病気は土公神の祟によるものと見做されたのであった。

○書状を以《もっ》て民部卿を訪《とぶら》ふに、報じて云ふやう、「土公の祟なり。始めの日は足の腫れ上がるに、近日は俣《また》に及ぶ。苦しきこと堪ふべからず」てへり。

（『小右記《しょうゆうき》』万寿《まんじゅ》四年〈一〇二七〉六月五日条）

また、平安貴族がしばしば土公神の祟を病気の原因と見做したというのは、歴史物語の『栄花物語《えいがものがたり》』からも読み取れる事実である。すなわち、『栄花物語』によれば、三条天皇の皇后であった藤原妍子《きよこ》（「大宮《おおみや》の御前《おんまえ》」）が病みついた折、関白藤原頼通《よりみち》が陰陽師の賀茂守道《もりみち》に病因を占わせたところ、守道の卜占《ぼくせん》は「御氏神《おんうじがみ》の祟」および「土《つち》の気《け》」を病因として指摘したというのである。ここで「土の気」と呼ばれているのは、土公神の祟に他ならない。

○　かかる程に、大宮の御前あやしう悩《なやま》しうおぼされて、ともすればうち臥《ふ》させ給《たま》ふ。（中略）。関白殿参らせ給へるに、（中略）、侍召《さぶらいめ》して、守道召しに遣《つか》はすべき由仰《よしおお》せらる。さて参りたれば、かうかうおはします由を問はせ給へば、「御氏神の祟にや、土の気」など申せば、御前にて御祓《おんはらえ》仕《つこ》うまつる。

（『栄花物語』巻第二十八わかみづ）

右の『栄花物語』からは土公神の祟が「土の気」とも呼ばれていたことが知られるわけだが、こうした別称が生まれたことからもうかがわれるように、土公神の祟というのは、平安貴族にとっては非常に身近な事象であった。おそらく、平安貴族は日常的に土公神の祟を懸念していたことだろう。平安貴族にとって最も身近な神の一つであった土公神は、その祟の頻繁さゆえに、平安貴族にとって最も身近な危険の一つでもあったのである。

犯土と土公神

では、どうして土公神《つちぎみのかみ》は頻繁に祟《たたり》を起こす危険な神格として捉えられていたのだろうか。

本節の冒頭に見たごとく、新宅ではない家宅（「旧所」「旧宅」）への移徙《いし》に際しても、平安貴族は黄《あめ》牛《うし》を牽《ひ》く作法を行った。そして、その背景には陰陽師の指導があったわけだが、ここでふたたび陰陽師の所説を確認するならば、陰陽師は必ずしもすべての「旧所」「旧宅」への移徙について黄牛の作法の必要性を説いたわけではない。陰陽師が黄牛を牽くべきことを主張したのは、近い時期に「犯《はん》土《ど》」のあった「旧所」「旧宅」への移徙についてであった。すなわち、陰陽師の言うところでは、「犯土」のあった家宅への移徙にあたっては、黄牛を牽き入れることで土公神を鎮める必要があったのである。

○保憲《やすのり》の申して云《い》ふやう、「旧宅と雖《いえど》も犯土の造作《ぞうさ》有らば、何ぞ其《そ》の礼無からんや。就中《なかんずく》、黄牛を牽く、是《これ》は土公を厭《えん》ずるの意なり。尤《もっと》も備ふべき礼儀なりと云々《うんぬん》」と。

（『左経記』長元五年四月四日条）

○旧宅と雖も尚《な》ほ黄牛を牽くべし。是は犯土に依《よ》りて土公を厭ずる為《ため》なり。道光《みちみつ》の伝ふる所也《なり》。
（『左経記』長元五年四月四日条）

「犯土」があった家宅への移徙に際しては、土公神を鎮めるために黄牛の作法を行う必要があった——このことから明らかなように、平安貴族は土公神が「犯土」というものをたいへんに嫌うと考えていた。そして、平安貴族が「犯土」と呼んだのは、地面を掘り返す（土を犯す）という行為であった。

賀茂保憲というのは先にも黄牛の作法に関連して登場した陰陽師だが、その保憲が天延《てんえん》二年（九七四）の九月に記した「犯土禁忌勘文《はんどきんきかもん》」と呼ばれる文書がある。これは三善為康《みよしのためやす》という平安時代後期の文章家《もんじょうか》が編纂した『朝野群載《ちょうやぐんさい》』という文書集に収められてその内容が現代にまで伝わったものなのだが、この文書で保憲は次のように述べている。

○陰陽書《おんみょうしょ》の云はく、郭邑《かくゆう》の内に居《お》らば、土《つち》の気《け》の宅を去ること三十五歩、各《おのおの》一区と為《な》す。之《これ》を過《す》ぐるの外《そと》、土の気も人を害さず。地を掘り土を起こすに、深さ三尺を過ぐれば害と為《な》り、三尺に満たざれば害無し。
（『朝野群載』巻第十五陰陽道）

これによれば、平安貴族が犯土と見做したのは、三尺（九一・五センチメートル）より深く地面を掘り返す行為であった。したがって、たとえ地面を掘り返すことがあっても、その深さが三尺に達しない限り、それは犯土ではなかったことになる。しかし、犯土があった場合、そこには「土の気」＝土公神の祟が生じることになった。

長和二年（一〇一三）の二月のこと、小野宮《おののみや》第内を巡検《じゅんけん》していた藤原実資《さねすけ》は、南庭の池の近くで水が滲《にじ》み出している（「南池北頭の紅桜の樹の下に湿《しゅう》を鎮《しず》む」）のを発見する。『小右記《しょうゆうき》』によれば、実資が家司《けいし》の宮道義行《みやみちのよしゆき》に命じてその場所を四寸（約〇・一二メートル）から五寸（約〇・一五メートル）ほど掘らせてみたところ、そこからは池に流れ込むほどの水が湧き出した。この出来事を実資は「太《おお》いに興有り《きょうあ》」と喜んだが、しかし、彼は水の湧き出た場所をさらに深く掘らせることは控えたという。もちろん、それ以上の掘削《くっさく》で犯土を生じて「土の気」＝土公神の祟を受けるようなことになるのを恐れたためであろう。実資が土公神の動向を気にしていたことは、『小右記』の記事からも明らかである。

○早朝、家中を巡検するに、南池北頭の紅桜の樹の下に湿を鎮む。義行の試みに四五寸を掘るに、水沸き出で《い》、其《そ》の流れは池に入る。太いに興有り。土公の出でざるに依《よ》りて、深くは掘らしめざるのみ。

（『小右記』長和二年二月十二日条）

なお、犯土によって生じた「土の気」の害が及ぶ範囲は、賀茂保憲の「犯土禁忌勘文」に見る限り、平安京のような都市（「郭邑」）において、最大で三十五歩（約一四〇平方メートル）に達することになっていた。大勢が密集して居住する都市における三十五歩であるから、一つの犯土によって少なからぬ数の人々が土公神の祟の脅威に曝《さら》されたことになる。

しかも、保憲の勘文の右に引用しなかった部分の記述によると、自宅で犯土があった場合には、犯土のあった地点からの距離とは無関係に、自宅の敷地内の全体が「土の気」の害の及ぶ範囲とされた。それゆえ、一町（約一万四四〇〇平方メートル）にも及ぶ広大な敷地に建つ小野宮第のような大邸宅に住む者でも、自宅で犯土があるごとに土公神の祟を恐れねばならなかったのである。

また、保憲の勘文によれば、隣家で犯土があった場合、それによって生じた土公神の祟が害を及ぼし得る範囲は、最小でも三十五歩であり、最大では四町（約五万七六〇〇平方メートル）にも及んだ。そのため、二町もの敷地を有する東三条《ひがしさんじょう》第や堀河《ほりかわ》第のような大邸宅に住む者であっても、隣家の犯土によって生じた「土の気」に無関心でいるわけにはいかなかったのである。

このような事情を見るならば、土公神という神格が平安貴族にとって最も身近な危険の一つであった理由は明らかであろう。土公神の祟（「土の気」）というのは、犯土というあまりに身近な出来事によって容易に起こり得る事象だったのである。

地面を掘り返すという行為は、今も昔も人間が日常生活を営むうえでは避けることのできない行為の一つである。とくに、家宅の造作を行う際には、犯土と見做されるほどの深さにまで地面を掘り下げることも珍しくない。それにもかかわらず、平安貴族の理解によれば、土公神は犯土があるごとに祟を起こしたのである。平安貴族が日常的に土公神の祟を懸念しなければならなかったのは、それがあまりにも頻発する危険だったためであろう。

土忌

自宅あるいは隣家に造作などを行ったことによる犯土《はんど》があり、自宅が土公神《つちぎみのかみ》の祟《たたり》の及ぶ範囲に入ってしまった場合、平安貴族はどのように対処したのだろうか。

その答えの一つは、次に引く『蜻蛉日記《かげろうにっき》』の一節にさり気なく語られている。

○二十七八日のほどに、土犯《つちおか》すとて、ほかなる夜しも、めづらしきことありけるを、人告げに来たるも、何事もおぼえねば、憂《う》くてやみぬ。（『蜻蛉日記』下）

天禄《てんろく》三年（九七二）の九月末ごろの夜のこと、藤原道綱母《みちつなのはは》の自宅に夫の藤原兼家《かねいえ》よりの使者が訪れた。すっかり冷め切っていた夫婦にとって、これは「めづらしきこと」であったが、この夜、あいにくと道綱母は自宅を離れていた。「ほかなる夜」というのは、他家に宿っていた夜のことである。そして、「土犯すとて」というのが、彼女が自宅を空けた理由であった。すなわち、彼女が他家に宿を借りたのは、自宅に犯土があったためだったのである。

このように、自宅に犯土による不都合が生じた場合、平安貴族は他家に宿を借りるなどして自宅を離れるようにした。この習俗を平安貴族は「土忌《つちいみ》」と呼んだが、『蜻蛉日記』より半世紀ほど後に書かれた『更級日記《さらしなにっき》』にも土忌のことが見える。すなわち、おそらくは治安《じあん》二年（一〇二二）の三月のこととして、『更級日記』には菅原孝標女《すがわらのたかすえのむすめ》が土忌のために他家に宿ったことが記されているのである。

○三月《やよい》つごもりがた、土忌に人のもとにわたりたるに、桜さかりにおもしろく、今まで散らぬもあり。

（『更級日記』）

もちろん、この土忌という習俗のことは、同時代の古記録《こきろく》にも見えている。たとえば、藤原実資《さねすけ》の『小右記《しょうゆうき》』は、寛仁《かんにん》四年（一〇二〇）の十一月のこととして、小野宮第《おののみや》において念誦堂《ねんじゅどう》の壇《だん》を築くとともに西門周辺の垣《かき》を改修するという造作が行われたため、実資が早朝から小野宮第の西隣の別宅に移っていたことを記録している。

○念誦堂の壇幷びに西門北腋《きたわき》の垣を築くべきに依《よ》りて、早旦《そうたん》に西隣の宅に渡る。黄昏《たそがれ》に垣を築き了《お》はんぬ。即《すなわ》ち堂前に帰る。（中略）。宰相《さいしょう》は宅の東垣を今日より築かしむと云々《うんぬん》。仍《よ》りて妻子共に西対《にしのたい》に渡る。

（『小右記』寛仁四年十一月二日条）

実資が小野宮第に戻ったのは垣の改修が終了した黄昏であったが、この日、実資が土忌のために移った家宅（「西隣の宅」）の西対には、彼の養子で小野宮第の北隣に居を構える藤原資平《すけひら》（宰相）やその妻子までが土忌のために移ってきていた。この日は資平邸でも垣の造作が行われていたのである。

また、実資は小野宮第の東隣に別宅を有したこともあったが、『小右記』によれば、その別宅（「東家《ひがしのいえ》」）および小野宮第の造作の折、実資は小野宮第を離れて宮道義行の宅に宿った。義行というのは実資の家司を務めていた人物であり、その関係から義行宅が実資の土忌の宿となったのであろう。

○小野宮・東家等の犯土に依りて、今旦《こんたん》、義行朝臣《あそん》の宅に渡る。東家の寝屋の壇、巳時《みのとき》に築き初《はじ》む。同剋に石を据《す》う。又西・北両方の門を立てしむ。又雑舎《ぞうしゃ》を立つ。

（『小右記』正暦《しょうりゃく》元年〈九九〇〉十一月二十七日条）

さらに、寛仁二年三月の『小右記』からは、小野宮第にて寝殿の左右の渡殿《わたどの》を建てるという造作が行われた際、実資が同第の門外に停めた牛車《ぎっしゃ》の中で造作の終了を待ったことが知られる。ただ門外に出ただけとはいえ、造作によって犯土の生じる自宅を離れたのであるから、これが土忌の行為であることは間違いない。

○午刻《うまのとき》、寝殿の東西の渡殿を立て初《はじ》む。此《こ》の間、少女と同車して北門の外に立つ。立柱《りっちゅう》・上棟《じょうとう》の了《お》はるに帰り入る。申剋許《さるのときばかり》、内供《ないぐ》の天台《てんだい》より来たる。

（『小右記』寛仁二年三月十九日条）

ここに見えるような牛車を使った土忌は、おそらく、造作による犯土が短い時間で終了する場合に行われるものだったのだろう。現に、右の事例では、午時《うまのとき》（午前十一時ごろ〜午後一時ごろ）に開始された造作は、実資に来客のあった申時《さるのとき》（午後三時ごろ〜午後五時ごろ）には終了している。実資が娘とともに門外の牛車の中で過ごした時間は、最長でも約六時間であり、最短では約二時間であった。

物語に描かれた土忌

土忌《つちいみ》というのは、要するに、犯土《はんど》によって生じる土公神《つちぎみのかみ》の祟《たたり》から身を遠ざけるための習俗であったが、これは平安貴族の間では相当に広く行われていたのだろう。というのも、平安時代中期に書かれた物語にも、とくに珍しい習俗としてではなしに土忌が登場するからである。そして、物語に描かれた土忌からも、平安貴族の土忌の実態についての有用な情報を得ることができる。

たとえば、菅原孝標女《たかすえのむすめ》の作品とも言われる『浜松中納言物語《はままつちゅうなごんものがたり》』からは、土忌のために宿る家宅などを平安貴族が「旅所《たびどころ》」と呼んでいたことがうかがわれる。次の引用に見えるように、この物語の作者が「旅所」と呼んだのは、登場人物の一人である大宰大弐《だざいのだいに》の土忌のための宿であった。

○この大弐の土忌に、旅所にありけるを、不意《ふい》にみ給《たま》ひて、（後略）

（『浜松中納言物語』巻の三）

また、『浜松中納言物語』と同じころに書かれたとされる『狭衣物語《さごろもものがたり》』からは、平安貴族が土忌の「旅所」にしたのは縁者の家であったことがうかがわれる。この物語において「中務《なかつかさ》の姫宮」が土忌のために訪れたのは、その乳母《めのと》の姉妹の夫である長門守《ながとのかみ》の所有する家宅であった。

○かたはらの家の人に問ひ侍《はべ》りしかば、筑紫《つくし》へまかりける長門の守と申す者の家に候《さぶら》ひけり。妻の同胞《はらから》なん、中務の姫宮の御乳母《おんめのと》にて、土忌・方違《かたたがえ》などには、時々渡り給ふとぞ申す。

（『狭衣物語』巻二）

この家宅は「中務の姫宮」の方違の折の宿にもなったようだが、彼女は土忌や方違のために一再ならず長門守宅を利用したらしい。このことからすれば、平安貴族は特定の他家を土忌や方違のための「旅所」として定めていたのだろう。もちろん、そうしていたのはそれが可能な者だけであったかもしれないが、犯土が頻繁に起き得る出来事であったことを考えると、平安貴族にはいつでも確実に「旅所」として使うことのできる他家が必要であったに違いない。

さらに、『堤中納言物語《つつみちゅうなごんものがたり》』の一つとして知られる「はいずみ」という短篇物語からは、平安貴族が土忌を方便として利用することもあったことがうかがわれる。この物語の主人公は、以前からの妻とともに住む自宅にもう一人の妻を迎え入れるにあたり、土忌を口実として古妻を納得させようとした。すなわち、その実家の犯土（「かしこに土犯《つちおか》す」）による土忌のため、新妻は居を移さざるを得ないと弁明したのである。

○かしこに土犯すべきを、ここに渡せとなむ言ふを、いかが思《おぼ》す。他へや往《い》なむと思す。何かは苦しからむ。かくながら端《はし》つ方《かた》におはせよかし。忍びてたちまちにいづちかはおはせむ。

（『堤中納言物語』「はいずみ」）

しかし、古妻に対して今後は家の片隅で暮らすように指示している（『端つ方におはせよかし』）ことからも、男が新妻を正妻として迎えようとしていることは明らかであった。古妻が夫から聞かされた新妻の土忌は、夫が穏便《おんびん》に新妻を自宅に迎え入れるための方便でしかなかったのである。

とはいえ、平安貴族にとって土忌が常に何かの方便や何かの口実だったというわけではない。藤原実資《さねすけ》が土忌のために路上の牛車の中で数時間を過ごす不自由をも厭《いと》わなかったように（『小右記《しょうゆうき》』寛《かん》仁《にん》二年三月十九日条）、平安貴族の土忌に対する気持ちは、基本的には真剣なものであった。そもそも、犯土によって生ずる土公神の祟は、平安貴族にとっては大きな脅威だったのである。

黄牛と五行説

さて、こうした土忌《つちいみ》のような習俗が成立していたように、平安貴族は日頃から土公神《つちぎみのかみ》に対して多大な関心を払っていた。そして、その土公神を鎮める目的で平安貴族が移徙《いし》に際して行ったのが、前掲の「移徙作法勘文《いしさほうかもん》」にも見える家宅内に黄牛《あめうし》を牽《ひ》き入れるという作法であった。

しかし、どうして黄牛を牽くことで土公神を鎮めることができたのだろうか。この点について、平安貴族はどのように理解していたのだろうか。

この謎を解く鍵は、おそらく、黄牛の作法が陰陽師の指導で行われていたことにある。というのは、当時の陰陽師の行った卜占《ぼくせん》や呪術の理論的根拠の一つであった五行説《ごぎょうせつ》からは、黄牛という動物が土公神という神格と密接な関係を持つ存在として理解されるからに他ならない。

古代の中国で生まれた「五行説」と呼ばれる思想は、この世界のすべての事象を、「木《もく》」「火《か》」「土《ど》」「金《ごん》」「水《すい》」の五つの原理によって説明する。たとえば、世界を守護する神獣を、五行説は青龍《せいりゅう》（＝木）・朱雀《すざく》（＝火）・麒麟《きりん》（＝土）・白虎《びゃっこ》（＝金）・玄武《げんぶ》（＝水）の五神として理解するのである。

また、この世界を構成する最も基本的な要素が時間と空間とであるとして、五行説は時間・空間それぞれの成分を木・火・土・金・水の五つの原理に配当して把握する。すなわち、五行説における時間（＝季節）は、春（＝木）・夏（＝火）・土用（＝土）・秋（＝金）・冬（＝水）の五時であり、また、五行説における空間（＝方位）は、東（＝木）・南（＝火）・中央（＝土）・西（＝金）・北（＝水）の五方である。

このように、五行説の理解する世界では、そのすべての構成要素が木・火・土・金・水の五つの原理に対応するわけだが（表2）、その木・火・土・金・水の五行は、それぞれが青・赤・黄・白・黒の五つの色にも対応するとともに、また、それぞれが犬・羊・牛・鶏・鹿の五種類の動物にも対応する。そして、ここで注目したいのは、五行の土が黄という色と牛という動物とに対応することである。言い方を変えるならば、五行説の世界の黄および牛は、土という原理に配当される要素なのである。

以上のことから明らかなように、平安貴族が土公神を鎮める作法に用いた黄牛という動物は、五行の土に配当される黄という色と牛という動物とを組み合わせた存在であった。そして、平安貴族が土公神を五行の土に対応する存在として理解していたことは想像に難《かた》くない。とすれば、黄牛を牽くことで土公神を鎮めるという作法は、土をもって土を鎮めるといった発想から生まれたものであったに違いない。

なお、記録の残る確かな事例のみを問題とするならば、わが国で初めて黄牛を牽く作法が行われたのは、平安時代前期の元慶《がんぎょう》元年（八七七）であった。すなわち、次に引く『日本三代実録《にほんさんだいじつろく》』によれば、同年の二月、陽成《ようぜい》天皇が登極《とうごく》の後に初めて内裏《だいり》に入るにあたり、二人の童女によって陽成天皇には新居となる内裏に二頭の黄牛が牽き入れられたのである。

○是《こ》の日の申時《さるのとき》、天皇の東宮《とうぐう》より遷《うつ》りて仁寿殿《じじゅうでん》に御《おわ》す。童女四人、一人は燎火《りょうか》を秉《と》り、一人は盥手器《かんしゅき》を持ち、二人は黄牛二頭を牽き、御輿《みこし》の前に在り。陰陽家の新居を鎮むるの法を用ふる也《なり》。

表2　五行配当表

	木	火	土	金	水
季節	春	夏	土用	秋	冬
方位	東	南	中央	西	北
色	青	赤	黄	白	黒
神獣	龍（青龍）	鳥（朱雀）	麒麟（勾陳）	虎（白虎）	亀（玄武）
惑星	太歳（木星）	螢惑（火星）	鎮星（土星）	太白（金星）	辰星（水星）
干支	卯・寅	巳・午	丑・辰 未・戌	申・酉	亥・子
感覚器	目	舌	唇	鼻	耳
臓器	肝臓	心臓	脾臓	肺臓	腎臓
穀物	麻	麦	米	黍	大豆
果実	李	杏	棗	桃	栗
家畜	犬	羊	牛	鶏	鹿

しかも、このときには、水火童女《すいかどうじょ》にあたる作法も行われていた。「一人は燎火を秉り、一人は盥手器を持ち」という二人の童女については、これを水火童女と見做すのが妥当であろう。水火童女の作法や黄牛の作法は、少なくとも天皇の移徙に際しての作法としては、すでに平安時代前期の九世紀後半から行われていたのである。

（『日本三代実録』元慶元年二月二十九日条）

そして、右の『日本三代実録』において「陰陽家の新居を鎮むるの法」と呼ばれているのは、明らかに水火童女・黄牛の二つの作法である。水火童女の作法および黄牛の作法は、その史料上の初見となる元慶元年の事例から、一貫して陰陽師の指導で行われる作法だったのである。

土公祭

その陰陽師の指導で黄牛《あめうし》を牽《ひ》く作法が行われたのは、これまでにも繰り返し述べてきたように、平安貴族の移徙《いし》に際してであった。そして、今のところ、この作法が移徙以外の場面で行われたという記録は確認されていない。

たとえば、造作《ぞうさ》を行ったことで自宅に犯土《はんど》が生じた場合など、黄牛を牽く作法によって土公神《つちぎみのかみ》を鎮めることがあってもよさそうなものである。また、造作のために犯土が生じた家宅に移徙する場合も、移徙以前に黄牛の作法を行って事前に土公神を鎮めておいてもよかったように思われる。だが、平安貴族はそのようには考えなかったのである。

そして、移徙以外の場合に平安貴族の家宅の土公神を鎮めたのは、陰陽師の行う土公祭《つちぎみのまつり(どくうさい)》という呪術であった。

たとえば、『小右記《しょうゆうき》』によれば、小野宮《おののみや》第の東隣に別宅（「東家《ひがしのいえ》」）を建てさせていたころの藤原実資《さねすけ》は、小野宮第あるいは別宅において、氏姓不明の陳泰《のぶやす》という陰陽師に土公祭を行わせている。これは、別宅の造作によって生じた犯土のために土公神の祟《たたり》が起きかねないことを懸念しての措置《そち》であったろう。

○東家の寝屋の柱、巳時《みのとき》に立つ。未時《ひつじのとき》に上棟《じょうとう》す。

（『小右記』正暦元年十二月八日条）

○今夜、陳泰朝臣《あそん》を以《もっ》て土公を祭《まつ》らしむ。

（『小右記』正暦元年十二月十四日条）

また、『左経記《さけいき》』に陰陽師の賀茂守道《もりみち》が藤原兼隆《かねたか》（左金吾《さきんご》）の大炊御門《おおいみかど》第にて行ったと見える土公祭も、造作のために同第に犯土が生じたことを受けて行われたものであった。その造作は同第に後一条天皇中宮《ちゅうぐう》の藤原威子《たけこ》を迎えるための改修工事であったが、同第では中宮の出産が予定されていたため、万が一にも土公神の祟などが起きてはならなかったのである。

○守道朝臣を以《もっ》て左金吾の家に於《お》いて土公祭を行はしむ。是《これ》は行啓《ぎょうけい》に依《よ》りて所々に修理を加へて自然《じねん》に犯土たり。仍《よ》りて行はしむる所也《なり》。

（『左経記』万寿《まんじゅ》三年八月三十日条）

このように、造作などによって自宅や隣家に犯土があった場合、平安貴族は陰陽師に土公祭という呪術を行わせることによって土公神を鎮めようとした。土公神が犯土を嫌うことを知る平安貴族は、犯土のあった家宅やその隣家で土公神の祟が起きることを恐れたのである。平安貴族が陰陽師に行わせた土公祭は、土公神の祟に対する予防的な措置であった。

土公神に対処する陰陽師

では、不幸にも土公神《つちぎみのかみ》の祟《たたり》が発生して被害者が出てしまった場合、平安貴族はどのように対処したのだろうか。

平安貴族が土公神の祟のもたらす害悪として理解していたものは、さまざまなかたちの身体の不調であった。つまり、平安貴族にとっては、土公神の祟は病気として発現するものだったのである。たとえば、すでに『小右記《しょうゆうき》』に見たように、源俊賢《としかた》が「土公の祟なり」と語ったのは、「苦しきこと堪《た》ふべからず」というほどに下半身が腫《は》れ上がる病気の原因であった（『小右記』万寿四年六月五日条）。また、これもすでに紹介した『栄花物語《えいがものがたり》』に登場する「土の気《つちのけ》」は、藤原妍子《きよこ》を苦しめる病気の原因の一つであった（『栄花物語』巻第二十八わかみづ）。

しかし、右の『栄花物語』の事例においては、関白藤原頼通《よりみち》の指示で賀茂守道《もりみち》という陰陽師が卜占《ぼくせん》を行うまで、誰一人として妍子の病気が土公神の祟によるものであることを知らなかった。妍子の病気の一因が「土の気」であることを明らかにしたのは、陰陽師の卜占だったのである。

これと同様の事例は、当時の古記録《こきろく》にも見出される。たとえば、藤原実資《さねすけ》の『小右記』からは、実資自身も土公神の祟による病気を経験していたことが知られるが、その際、実資に妙見菩薩《みようけんぼさつ》（「北君《きたぎみ》」）・土公神・竈神《かまどがみ》の三者の祟が病因であることを教えたのは、陰陽師の賀茂光栄《みつよし》であった。光栄は陰陽師として実資の病気の原因を占ったのである。

○今日は参入せざるの事、資平《すけひら》を以《もつ》て頭弁《とうのべん》に触れしむ。心神の宜《よろ》しからざる也《なり》。夜々に汗の出《い》づることの例《れい》ならざるの故《ゆえ》也。光栄をして占はしむるに、占ひて云《い》ふやう、「北君・土公・竈神の祟なり」てへり。

（『小右記』長和三年〈一〇一四〉三月二十四日条）

また、上東門院《じようとうもんいん》藤原彰子《あきこ》（「女院《によいん》」）の腰病が竈神および土公神の祟によるものであることを明らかにしたのは、中原恒盛《なかはらのつねもり》という陰陽師の卜占であった。これも『小右記』に見える事例であるが、実資は占いを行った恒盛自身から聞いた話としてこの一件を記録している。

○恒盛の云《い》ふやう、「今旦《こんたん》、召《め》しに依《よ》りて女院に参るに、俄《にわか》に御腰《おんこし》を悩み御《おわ》す。御竈神《おんかまどがみ》・土公の祟の由《よし》を占ひ申す。御竈の前に於《お》いて御祓《おんはらえ》を奉仕す。二个度《にかど》なり。宜《よろ》しく御坐《ござ》す由を承《うけたまわ》る」と。

（『小右記』長元四年〈一〇二八〉七月五日条）

このように、平安貴族に土公神の祟の発生を知らせたのは、それを卜占によって察知することのできる陰陽師であった。平安貴族にとっては、陰陽師こそが土公神の祟を検知することのできる唯一の存在だったのである。そして、平安貴族にとっての陰陽師は、土公神の祟を除去することのできる唯一の存在でもあった。

右の『小右記』に見える藤原彰子の腰病の事例では、卜占によって彰子の腰病の原因が竈神や土公神の祟であることを明らかにした陰陽師の中原恒盛は、卜占の他に二度の禊祓《みそぎはらえ》をも行っている。実資が恒盛から聞いたところでは、この禊祓の後に恒盛は彰子より「宜《よろ》しく御坐《ござ》す由《よし》」を伝えられており、恒盛による禊祓が祟を除去することを期《き》して行われたものであることは明らかである。

また、『栄花物語』に描かれる藤原妍子の病気の場面でも、賀茂守道という陰陽師の卜占によって「御氏神《おんうじがみ》の祟」および「土の気」が病因であることが判明するや、病臥する妍子の傍《かたわ》らで禊祓が行われる（『栄花物語』巻第二十八わかみづ）。この禊祓も、「御氏神の祟」や「土の気」を除去するために陰陽師の賀茂守道が行ったものであったろう。

こうして明らかになったように、平安貴族は陰陽師の卜占や呪術によって土公神の祟に対処していた。しかも、管見の限り、平安貴族はそれ以外のかたちで土公神の祟に対処しようとはしなかった。土公神の祟を察知することも、また、土公神の祟を除去することも、平安貴族は陰陽師のみに期待したのである。したがって、平安貴族にとっては、陰陽師こそが土公神の祟に対処することのできる唯一の存在であった。

そして、こうした事情があったからこそ、平安貴族の移徙《いし》の際には、黄牛《あめうし》を牽《ひ》く作法が重要視されたのだろう。この作法は、家宅の土公神を鎮める作法として、平安貴族が土公神対策の専門家と見做した陰陽師によって推奨されたものだったのである。

4　家宅の危険性と陰陽師の反閇

空家に住み着く「よからぬ物」

空家《あきや》――居住者のいない家宅――というのは、平安貴族にとっては危険な場所であった。『源氏物語』には横川僧都《よかわのそうず》という高僧が登場するが、その僧都によると、空家となった邸宅には必ずや「よからぬ物」が住み着くものであった。しかも、そうした「よからぬ物」は、「重き病者」に「悪《あ》しきことども」をもたらすこともあったという。次に引くのは『源氏物語』での僧都の台詞《せりふ》であるが、ここで僧都が語ろうとしているのは、彼自身が母親をともなって長く空家になっていた大邸宅（「宇治院《うじのいん》」）に宿った折の出来事である。

○この三月に、年老いてはべる母の、願《がん》ありて初瀬《はつせ》に詣《もう》ではべりし、帰さの中宿《なかやどり》に、宇治院といひはべる所にまかり宿りしを、かくのごと、人住《す》まで年経《としへ》ぬる大きなる所は、よからぬ物必ず通ひ住みて、重き病者のため悪しきことどもや、と思ひたまへしもしるく

（『源氏物語』手習）

僧都の年老いた母親は、初瀬詣の帰途、不意に体調を崩して宇治の地で立往生してしまう。その報《しら》せを受けた僧都は、数人の弟子を連れて宇治に駆けつけるものの、母親を帰宅させることは難しく、「宇治院」と呼ばれる邸宅に宿を借りることを決める。かつて故朱雀院《すざくいん》の別荘であった宇治院は、朱雀院の没した後、長く空家となっていたのである。

そして、宇治院に入った僧都の一行は、同院の庭で不審な何かを発見する。それは「白き物のひろごりたる」という様子であったが、僧都の弟子の一人はこれを「狐《きつね》の変化《へんげ》したる」と考えて正体を確かめようとし、また、別の一人はこれを「よからぬ物」と見做して同僚の軽挙を制止するのであった。

○森かと見ゆる木の下を、うとましげのわたりや、と見入れたるに、白き物のひろごりたるぞ見ゆる。「かれは何ぞ」と、立ちとまりて、灯を明《あか》くなして見れば、もののゐたる姿なり。「狐の変化したる。憎し。見あらはさむ」とて、一人はいますこし歩みよる。いま一人は、「あな用な。よからぬ物ならむ」と言ひて、さやうの物退《しぞ》くべき印《いん》を作りつつ、さすがになほまもる。

（『源氏物語』手習）

結局、横川僧都一行が宇治院の庭で見つけたのは、「髪は長く艶々《つやつや》として、大きなる木の根のいと

荒々しきに寄《よ》りゐて、いみじう泣く」という様子の一人の女性であった。本書にはあまり関係のないことながら、この女性こそが『源氏物語』終盤の女主人公として知られる浮舟《うきふね》である。二人の貴公子との三角関係の恋愛に追い詰められた彼女は、宇治川に身を投げようとしているうち、宇治院に迷い込んでしまったのだという。

しかし、横川僧都やその弟子たちにしてみれば、宇治院のような空家の庭の暗がりで発見した女性が、普通の女性であるはずはなかった。「人住まで年経ぬる大きなる所は、よからぬ物必ず通ひ住みて」というのが、彼らの共通理解だったのである。弟子の報告を受けて僧都もその場にやって来たが、彼が足を運んだのも「狐の人に変化《へんげ》するとは昔より聞けど、まだ見ぬものなり」と考えたからに他ならない。

こうして、浮舟はしばらく「よからぬ物」としての扱いを受けることになるのだが、それも無理からぬことであったろう。そして、横川僧都一行による怪しい女性（浮舟）の正体についての詮議《せんぎ》は、「鬼か、神か、狐か、木霊《こだま》か」あるいは「昔ありけむ目も鼻もなかりけん女鬼《めおに》にやあらん」というものであった。彼らが空家に住み着くと考えた「よからぬ物」というのは、鬼や神や狐や木霊などだったのである。

その後、物語の中では僧都たちも浮舟をただの気の毒な女性として遇《ぐう》するようになるわけだが、それはともかく、右の逸話からは、平安貴族が空家には霊物が住み着くものだと考えていたことがうかがわれよう。拙著『陰陽師と貴族社会』でも述べたように、平安貴族は神仏や霊鬼の類《たぐい》を一括《ひとくく》りに「霊物《れいぶつ》」と呼んだのであり、鬼や神や木霊はもちろん、「変化」する狐なども、平安貴族の言う「霊物」の類に他ならない。

また、空家に住み着いた霊物は、平安貴族の理解において、病人に害を加えることもある「よからぬ物」であった。横川僧都の「人住まで年経ぬる大きなる所は、よからぬ物必ず通ひ住みて、重き病者のため悪しきことどもや」という言葉は、平安貴族の共通理解に裏打ちされたものであったと思われる。そして、人々に危害を加えかねない霊物が住み着く空家は、平安貴族にとって、危険な場所の一つであった。

空家の霊物

平安時代の人々がそこに住む霊物《れいぶつ》のゆえに空家を危険な場所と見做していたことは、平安時代後期の十二世紀に編纂《へんさん》されたという『今昔物語集《こんじゃくものがたりしゅう》』からもうかがうことができる。「霊鬼部」の異名を持つ『今昔物語集』巻第二十七には、「よからぬ物」=危険な霊物の住み着いた空家の話がいくつも見られるのである。

たとえば、『今昔物語集』巻第二十七第四の「冷泉院東洞院《れいぜいいんひがしのとういん》ノ僧都殿《そうずどの》ノ霊ノ語《こと》」と題する話では、一人の武士が「僧都殿《そうずどの》」と呼ばれる空家の霊物に挑《いど》んで生命を落としたことが語られる。

その僧都殿には「極《きわめ》タル悪《あし》キ所也《ところなり》」との評判があり、同第は「打解《うちとけ》テ人住ム事無カリケル」という状態になっていたが、この邸宅で目撃された「赤キ単衣《ひとえぎぬ》」のような霊物は、夕刻（「彼《あ》レハ誰《た》ソ時」）に同第の敷地内で木々の間を飛び回るだけの無害な存在であった。しかし、その霊物も敵対する者を許してはおかなかった。矢を射かけて霊物に傷を負わせた武士は、その晩のうちに眠ったまま頓死《とんし》させられてしまったのである。なお、怪死した武士が源経頼《つねより》の母方の祖父である源是輔《これすけ》の従者として語られているように、『今昔物語集』の編者は右の話を平安時代中期の出来事として扱っている。

そして、『今昔物語集』巻第二十七第十二の「朱雀院《すざくいん》ニ於《お》イテ餌袋《えぶくろ》ノ菓子《かし》ヲ取ラルル語」という話には、同じ平安時代中期の出来事として、源経頼の縁者の一人が空家の霊物に遭遇したことが語られている。

すなわち、経頼の父方の大叔父《おおおじ》である源重信《しげのぶ》に仕えた源頼信《よりのぶ》という武士が、「朱雀院《すざくいん》」と呼ばれる空家で鬼に餌袋《えぶくろ》の中身を盗まれたというのである。天皇の後院《ごいん》（別宅）として右京の朱雀大路・三条大路・四条大路に囲まれた地に建てられた大邸宅が朱雀院だが、頼信が武士として活躍した時代には同院は事実上の空家となっていた。それゆえ、宇多《うだ》天皇を祖父とする重信などは朱雀院を方違《かたたがえ》の宿に利用したのだが、その方違の準備のために主人に先行して朱雀院に向かった頼信は、餌袋に入れて持って行った菓子（果実）のすべてを同院の鬼に盗られてしまったのだという。

しかし、鬼に遭遇しても菓子を盗られただけで済んだのは幸いであった。『今昔物語集』巻第二十七第十七の「東人《あずまびと》、川原《かわら》ノ院《いん》ニ宿リテ妻《め》ヲ取ラルル語」という話では、主人公の東国人は妻の生命を奪われてしまったのである。

その東国人が遥々《はるばる》と都に上ってきたのは、貴族として扱われるための最低条件である従五位下の位階を買うためであったが、彼は上京した最初の晩を「河原院《かわらのいん》」（「川原ノ院」）と呼ばれる空家で過ごすことにした。左大臣源融《とおる》が左京六条四坊に営んだ河原院という大邸宅は、融の没後には宇多上皇の御所となったが、上皇の没後には荒廃する一方の空家となっていた。とすれば、この東国人の話は平安時代中期に河原院が荒廃していたころの出来事として語られているのだろう。そして、『今昔物語集』によれば、空家となっていた河原院には鬼が住み着いており、しかも、その鬼は全身の体液を吸い尽くすという方法で東国人の妻を殺したのである。

これと同じように空家に宿った者がそこに住む鬼に殺される話としては、『今昔物語集』巻第二十七第七の「在原業平《ありわらのなりひらの》中将《ちゅうじょう》ノ女《おんな》、鬼ニ喰《くら》ハルル語」を忘れることはできない。

主人公は六歌仙《ろくかせん》の一人として知られる在原業平であるから、この話は平安時代前期の出来事として語られるわけだが、愛しい女性をその親元から盗み出した主人公は、平安京を離れて北山科《きたやましな》に逃れる。そして、その地で山荘《さんそう》風の空家を見つけた業平は、恋人とともにその空家の倉で一夜を過ごすことにした。ところが、業平が急な雷鳴に気を取られている間に、彼の恋人は頭部と着衣とだけを残して「倉ニ住《すみ》ケル鬼」に食べられてしまったのである。

この他、『今昔物語集』巻第二十七第十五の「産女《うぶめ》南《みなみ》山科《やましな》ニ行キ、鬼ニ値《あ》ヒテ逃《に》グル語」も、山科の山荘風の空家には人を喰う鬼が住んでいたことを伝える。こちらの鬼は老婆の姿をしていたが、この鬼は人間の赤子を見て「何ともおいしそうだ、ただ一口に食べてしまいたい」(「穴甘気《あなうまげ》、只一口《ただひとくち》」)と呟《つぶや》いたという。

また、『今昔物語集』巻第二十七第十六の「正親大夫《おおきみのたいふ》□、若キ時鬼ニ値《あ》フ語」に登場する男女は、七条大路と大宮大路とに近い「人モ無キ堂」での逢瀬《おうせ》の最中に鬼に遭遇する。その堂は「鬼ノ住《すみ》ケル所」だったのであり、そこで鬼の姿を見た女はにわかに体調を崩して翌日には死んでしまったという。これも空家に住む鬼が人を殺した例に数えられるべきだろう。

そして、『今昔物語集』巻第二十七第十四の「東国《とうごく》ヨリ上《のぼ》ル人、鬼ニ値《あ》フ語」では、上京の途次《とじ》に瀬田《せた》の唐橋《からはし》(「勢田《せた》ノ橋」)に近い「人モ不住《す》マヌ大キナル家」に宿った東国人が、その宅に置かれていた鞍櫃《くらびつ》から出てきた鬼に襲われている。この話はその後半部分が伝わっておらず、鬼に襲われた東国人がどうなったかを知ることはできないが、この説話の語り手が鬼に東国人を殺して食べようとする役割を与えていたことは想像に難《かた》くあるまい。

このように、『今昔物語集』の説話に見る限り、空家に宿る人々は、その空家に住む霊物に遭遇しないわけにはいかなかった。説話の世界では、空家には必ず霊物が住み着いているものだったのである。

また、これまでに見た諸例から明らかなように、鬼こそが『今昔物語集』に見える空家の霊物を代表する存在であった。右に紹介した説話のほとんどは、空家に住む霊物として鬼を登場させているのである。しかも、それらの鬼の行為としては、人を殺したり食べたりすることが普通であった。とすれば、人を殺したり食べたりするような鬼こそが、平安時代の人々にとって最も懸念すべき空家の霊物だったのであろう。

空家の危険性

とはいえ、平安時代の人々が空家に住み着く霊物《れいぶつ》として恐れていたのは、右に見てきたような「鬼」と呼ばれる存在ばかりではない。また、『今昔物語集』巻第二十七に収められた説話も、鬼だけを空家に住む霊物として登場させているわけではない。

『今昔物語集』巻第二十七第三十一の「三善清行宰相《みよしのきよゆきのさいしょう》、家渡《いえわたり》スル語《こと》」と題する話は、清行の活躍した平安時代中期の出来事として語られるが、ここには多様な空家の霊物が登場する。この話の舞台となる五条大路と堀川大路とに面する「荒《あれ》タル旧家《ふるや》」は、「悪《あし》キ家也《なり》トテ、人不住《す》マズ」と言われるような家宅であり、老木の茂るその庭は「樹神《こだま》モ住スベシ」という様子であった。この「樹神」というのは、『源氏物語』にその名の見える「木霊《こだま》」と同様のものであろうか。そして、この空家を買い取った清行がただ一人でその寝殿に宿ったところ、夜になってさまざまな霊物が姿を見せたという。

たとえば、天井には組入《くみいれ》（格子《こうし》状の桟《さん》）の格子ごとに顔が現れ、清行は無数の顔に見詰められることになった。また、寝殿南側の庇《ひさし》の板敷では、数十人の小人が馬に乗って行列する様子が見られた。そして、寝殿中央部の塗籠《ぬりごめ》からは大きな牙を持つ大女が出てきたが、最後に現れたのは「浅黄上下着《あさぎのかみしも》タル翁《おきな》」の姿の霊物であった。

この翁の姿をした霊物が清行に語ったところによれば、霊物たちが清行の前に現れたのは、威嚇《いかく》によって清行を追い出すためであった。とすれば、件《くだん》の家宅が長く「悪キ家也トテ、人不住マズ」という状態にあったのは、これまでの入居者が霊物の出現に身の危険を感じて居住を諦めたためであったろう。そして、この空家に住み着いていたとされる霊物の正体を、『今昔物語集』は「鬼」とも「鬼《おに》神《かみ》」とも「老狐《おいぎつね》」とも伝えている。

狐や猪などが空家で人々を誑《たぶら》かすものであったらしいことは、『今昔物語集』巻第二十七第四十四の「鈴鹿《すずか》ノ山ヲ通ル三人、知ラヌ堂ニ入リ宿ル語」にも見える。この話の舞台は「鬼有《あり》トテ、人更《さら》ニ不宿《やどら》ヌ旧堂《ふるどう》」なのだが、ここに宿った三人の偉丈夫《いじようふ》が見極めたところでは、夜中に彼らを誑かそうとしたのは鬼ではなかった。彼らの見立てによれば、この空家で起きる怪異は、「狐・野猪《くさいなぎ》ナドノ人謀《はからむ》トテシケル事」だったのである。

また、『今昔物語集』巻第二十七第三十の「幼児《おさなご》ヲ護《まも》ラムガ為《ため》ニ、枕上《まくらがみ》ニ蒔《ま》キタル米《よね》ニ血付ク語」には、下京に「本《もと》ヨリ霊有《あり》ケル」という空家があったことが見える。ここで「霊」と言われているものの正体はよくわからないが、方違《かたたがえ》のために件の空家に宿った一家の乳母《めのと》が夜中に目撃したのは、貴族の礼装である束帯《そくたい》を身につけた五寸（約十五センチメートル）ほどの小人たちの姿であった。その数は十人ほどであり、全員が馬に跨《またが》っていたという。

拙稿「貴女と老僧」で明らかにしたように、平安貴族が思い描く神の姿の一つは、束帯を着した貴人の姿であった。したがって、下京の空家に住む「霊」として語られる小人たちも、何らかの神格であったかもしれない。あるいは、この空家に祀られないままに放置された宅神《やかつがみ》たちでもあったろうか。

いずれにせよ、以上に見てきたところから、平安時代の人々が空家を霊物の住み着く場所と見做していたことは明らかであろう。しかも、彼らは空家の霊物に強い関心を持っていた。『今昔物語集』の「霊鬼部」とも称される巻第二十七には全部で四十五の霊鬼譚《れいきたん》が収められているが、その二割強にあたる十話までが空家の霊物に関するものなのである。

そして、こうした状況が生まれたのは、空家の霊物が平安時代の人々にとって非常に危険な存在であったからに他なるまい。右に見てきた空家の霊物の多くは、その空家に入り込んだ人間に対して積極的に危害を加えていたのである。とすれば、平安時代の人々が空家を危険な場所として理解していたことは間違いないだろう。

反閇という呪術

では、平安貴族は空家の危険性にどのように対処したのだろうか。『小右記《しょうゆうき》』を残した藤原実資《さねすけ》は小野宮第《おののみやだい》という立派な邸宅を持っていたが、その小野宮第にもしばらく空家の状態に置かれていた時期があった。すなわち、実資がまだ若かったころのこと、参議源惟正《これまさ》の婿《むこ》となった実資は、当時の習慣に従って舅《しゅうと》である惟正の所有する邸宅に住み、自己の所有する小野宮第を空家にしてしまっていたのである。

源惟正がその娘とともに婿の実資を住まわせたのは、二条大路に面して小野宮第の筋向かいに位置する左京二条三坊十三町の邸宅であったが、寛和《かんな》元年（九八五）のこと、この二条第は円融《えんゆう》天皇の中宮《ちゅうぐう》であった四条宮《しじょうのみや》藤原遵子《のぶこ》の一時的な御所として用いられることになり、実資は同第を離れなければならなくなった。すなわち、実資は小野宮第に帰らざるを得なくなったのである。遵子が二条第に移ったのは同年の九月であったが（『日本紀略《にほんきりゃく》』寛和元年九月十九日条）、実資はこれより早い五月に小野宮第に戻っている。

しかし、実資が婿として惟正の二条第に居住していた間、小野宮第は長らく空家の状態に置かれていた。この時点での小野宮第は、平安貴族が霊物《れいぶつ》の住み着く場所として恐れた空家になっていたのである。それゆえ、実資も何の措置《そち》もなしに小野宮第に戻るわけにはいかなかった。

そして、実資が小野宮第に戻るにあたっては、同第において、縣奉平《あがたのともひら》という陰陽師が反閇《へんばい》という

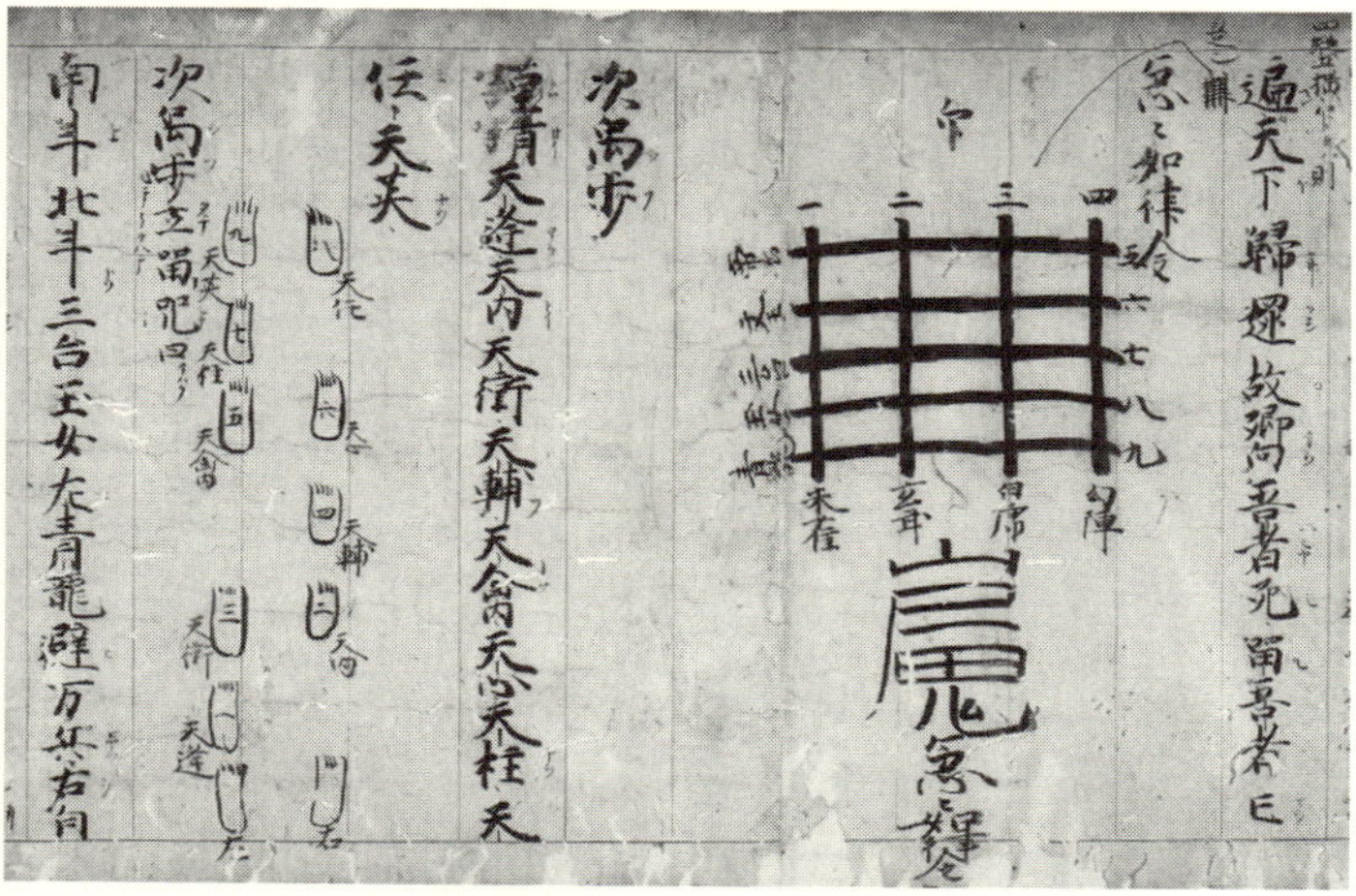

図10　『小反閇作法幷護身法』（京都府立総合資料館所蔵）
反閇の手順を示すこの文書によれば，手で行う「九字」の呪法と足で行う「禹歩」の呪法とが，反閇の重要な要素であった．

呪術を行ったのであった。次に引く『小右記』に見えるごとくである。

○戌時《いぬのとき》、小野宮に帰る。陰陽允《おんみようのじよう》奉平を以《もっ》て反閇せしむ。是《これ》より先、小野宮に於《お》いて散供《さんぐ》せしむ。

（『小右記』寛和元年五月七日条）

ここに見える「反閇」という呪術は、呪文を唱えながら特殊な足取りで地を踏むというものだが（図10）、本来、この呪術は危険の予想される場所へ出て行く際に行われるものであった。たとえば、平親信《たいらのちかのぶ》の日記に見える賀茂保憲《やすのり》による反閇は、讃岐介《さぬきのすけ》の源通理《みちさと》が任国へと旅立つにあたって行われたものである。また、『小右記』に見える陰陽頭《おんみようのかみ》惟宗《これむね》文高《ふみたか》の反閇は、房総半島で勃発《ぼっぱつ》したいわゆる「平忠常《ただつね》の乱」を鎮める任を負った追討使《ついとうし》が都を出立《しゅったつ》（首途《しゅと》）するに際して行われたものであった。

○巳剋《みのとき》、讃岐介の下向《げこう》せるに、主計頭《かずえのかみ》保憲の反閇を為《な》す。

（『親信卿記《ちかのぶきょうき》』天延《てんえん》二年二月九日条）

○亥時《いのとき》、忠常を追討するの使の首途す。反閇は陰陽頭文高朝臣《あそん》なりてへり。

（『小右記』長元元年八月五日条）

平安貴族が地方への旅路を危険視していたことは想像に難《かた》くない。そして、彼らが門出《かどで》に際して行った反閇は、旅程の安全——前途に予想される危険の除去——を期《き》したものであったに違いない。とすれば、陰陽師の行う反閇は、平安貴族にとって、これから踏み出そうとする危険な空間から危険を除去するための呪術であったろう。また、それゆえにこそ、藤原実資が空家になっていた小野宮第に入るにあたり、陰陽師の縣奉平が反閇を行うことになったのではないだろうか。

なお、実資が空家と化していた小野宮第に入った際、反閇の他に散供という呪術も行われたが、これは空家の霊物に対処するための呪術であったと考えられる。そして、その散供が空家の霊物に対処するために行われた呪術であったとすれば、同じ場面で陰陽師が行った反閇についても、これと同じように考えることが許されよう。

「散供《さんぐ》」というのは、米や豆などを撒《ま》き散らす所作から成る呪術であり、「散米《さんまい》」とも「打蒔《うちまき》」とも呼ばれた呪術である。そして、すでに紹介した『今昔物語集』巻第二十七第三十の「幼児《おさなご》ヲ護《まも》ラムガ為《ため》ニ、枕上《まくらがみ》ニ蒔《ま》キタル米《よね》ニ血付ク語《こと》」と題する話では、空家に宿って霊物に遭遇した乳母《めのと》が、幼児を守るために「打蒔《うちまき》ノ米ヲ多《おお》ラカニ掻攫《かきつかみ》テ、打投《うちなげ》タリ」という行動をとっている。ここでは、彼女が眼前に現れた霊物に向かって散供（「打蒔」）を行ったことは明らかであり、また、彼女が散供に用いる米（「打蒔ノ米」）を用意したうえで空家に宿ったことも明らかである。とすれば、平安時代の人々が散供という呪術を霊物に対処する手段として理解していたことは間違いあるまい。

こうして了解されたように、陰陽師が空家化した小野宮第で行った反閇は、空家となっていた間に同第に住み着いたであろう霊物に対処するための呪術であった。平安貴族の一人である藤原実資は、陰陽師に反閇を行わせることによって空家の危険性に対処したのである。

そして、藤原実資の『小右記』には、同様の反閇の事例がもう一つ見出される。源惟正の所有する二条第を臨時の御所としていた四条宮遵子は、永延《えいえん》元年（九八七）の二月七日、一年以上にも及ぶ滞在の後に同第を去った。しかし、この邸宅の本来の住人であった実資が小野宮第から同第に戻ったのは、翌月の二十日を過ぎてからのことであった。すなわち、遵子が退去した後の二条第は、一ヵ月半以上にもわたって空家の状態に置かれていたのである。そして、『小右記』によれば、その二条第に戻るにあたって、実資は陰陽師の安倍晴明に反閇を行わせたのであった。

○申時《さるのとき》、二条に渡る。晴明朝臣を以《もっ》て反閇せしむ。

（『小右記』永延元年三月二十一日条）

もちろん、ここで安倍晴明によって行われた反閇も、平安貴族の理解では、先に見た縣奉平の反閇がそうであったように、空家から空家ゆえの危険性――空家に住み着いた霊物――を除去するための呪術であった。そして、平安貴族にしてみれば、陰陽師に反閇を行わせるというのは、空家の危険性への対処法として最も一般的なものであったに違いない。

新宅作法としての反閇

平安貴族が空家に蟠《わだかま》る危険性――空家に住み着いた霊物《れいぶつ》――を除去する手段として用いた陰陽師の反閇《へんばい》は、安倍晴明が陰陽師として活躍した時代から、平安貴族が新宅への移徙《いし》に際して行う新宅作法《しんたくのさほう》に取り入れられていくことになる。これは、移徙が行われる以前の新宅が空家と同じ状態――居住者のいない状態――にあったことによるのだろう。平安貴族にしてみれば、新宅もまた一種の空家だったのである。新宅作法の一つとして行われた反閇は、新宅という空家から空家に住み着く霊物を除去するためのものであった。

そして、反閇が最初に新宅作法として行われたのは、藤原行成《ゆきなり》の『権記《ごんき》』によれば、長保二年（一〇〇〇）の十月十一日、一条天皇が焼亡後に新造された内裏へと遷御《せんぎょ》した折のことであった。すなわち、天皇が紫宸殿《ししんでん》――寝殿造邸宅の寝殿に相当する殿舎《でんしゃ》――に上がる直前、安倍晴明が同殿の前で反閇を行ったのである。

その後も、寛弘八年(一〇一一)八月十二日、三条天皇が即位後に初めて内裏に遷御した折には、『権記』に「内裏に於《お》いて吉平《よしひら》の御反閇《おんへんばい》を奉仕す。黄牛《あめうし》二頭有り。新宅の儀を用ふる也《なり》」と見えるごとく、安倍晴明の息子の安倍吉平が反閇を行っている。また、藤原実資《さねすけ》の『小右記《しょうゆうき》』によれば、寛《かん》仁《にん》三年(一〇一九)の十二月二十一日、実資自身が焼亡後に新造された小野宮第《おののみや》へと移徙した際も、反閇を行ったのは安倍吉平であった。そして、藤原資房《すけふさ》の『春記《しゅんき》』からは、長久元年(一〇四〇)の十二月十日、藤原資平《すけひら》の新宅移徙に際して巨勢孝秀《こせのたかひで》という陰陽師が反閇を行ったことが知られる。

陰陽師の行う反閇という呪術は、こうしてしだいに新宅作法として定着していったわけだが、遅くとも十一世紀前葉には、平安貴族から新宅作法には欠かせない要素として理解されるようになっていた。すでに本章の第3節で触れたように、長元五年(一〇三二)の四月、関白藤原頼通《よりみち》が堀河第《ほりかわ》への移徙に際して新宅作法のすべてを省略しようとしたところ、源経頼《つねより》は村上天皇の先例に依拠して黄牛を牽く作法を行うように進言したが、それと同時に経頼が頼通に対して強く主張したのが反閇を行うことであった。陰陽師の反閇は、黄牛の作法と同様、新宅作法の不可欠な要素となっていたのである。

○彼《か》に准《なぞら》へて此《これ》を思ふに、猶《な》ほ黄牛は有るべきなり。又反閇有るべし。余《よ》の事に於《お》いては左右《そう》を御《ぎょ》意《い》に随《したが》ふべし。

(『左経記』長元五年四月四日条)

すでに触れたように、陰陽師の反閇が新宅作法の一つとして行われたのは、一条天皇の新造内裏への遷御のときが最初であったが、この新例を作ったのは安倍晴明であった。そして、よりにもよって天皇の新宅移徙の折に新例を開くことが許されたのは、『権記』によれば、安倍晴明という陰陽師が「(陰陽)道の傑出者《けっしゅつしゃ》」として認められていたためであった(『権記』長保二年十月十一日条)。ここに、晴明が陰陽師として博《はく》していた名声の大きさを知ることができよう。

また、藤原行成の知る限り、晴明が反閇の新例を開く以前の先例では、天皇の遷御の折、陰陽師は散供《さんぐ》を行うことになっていた(『権記』長保二年十月十一日条)。この散供という呪術は、すでに見たように、平安貴族が空家の霊物に対処する手段としたものの一つである。ということは、反閇が新宅作法として行われるようになる以前から、平安貴族は新宅に住み着く空家の霊物を意識していたに違いない。やはり、平安貴族の理解では、新宅は空家と同じく霊物の住み着く危険な場所だったのである。

ところで、新宅作法としての反閇の初例となった安倍晴明の反閇は、新宅作法の途中、家長《いえのおさ》(天皇)が寝殿(紫宸殿)に上がる直前に寝殿の前で行われたが(『権記』長保二年十月十一日条)、右に紹介した安倍吉平や巨勢孝秀の反閇は、新宅作法のすべての要素に先立って行われていた(『小右記』寛仁三年十二月二十一日条、『春記』長久元年十二月十日条)。すなわち、新宅作法として定着したころの反閇は、先に見た移徙作法勘文《いしさほうかもん》に記されていた新宅作法の次第のすべてに先駆けて行われる作法だったのである。

そのことは、次に引く『小右記』からもうかがわれよう。長和五年(一〇一六)の六月、後一条天皇は里内裏《さとだいり》となっていた一条院《いちじょういん》という邸宅へと遷御したが、その折の新宅作法における安倍吉平の行為を、藤原実資は「書を開きて読む。了《お》はりて漸々《ようよう》行き歩く」と記しており、陰陽師の吉平が新宅作法として反閇を行ったことが知られる。そして、水火童女《すいかどうじょ》や黄牛が吉平の後に従って新宅（一条院）に入って行ったのは、吉平が反閇を行った後だったのである。

○吉平朝臣、水火童女の前に立つ。書を開きて読む。了はりて漸々行き歩く。次に童女歩き行く。其の後に二頭の牛を門内に引き入るるの間、（後略）

（『小右記』長和五年六月二日条）

しかし、本章の第1節で紹介した賀茂道平《みちひら》の移徙作法勘文には、陰陽師の反閇のことは何も記されていなかった。道平の移徙作法勘文は、康平《こうへい》六年（一〇六三）の藤原師実《もろざね》の新宅移徙に際して書かれたものであり、すでに反閇が新宅作法として定着した後のものである。それにもかかわらず、この勘文は陰陽師の反閇にはまったく言及していない。さらに言えば、『二中歴《にちゅうれき》』に収録されたもう一通の移徙作法勘文にも、陰陽師の反閇のことは見えない（『二中歴』第八儀式歴新宅移徙）。

ただ、移徙作法勘文という文書の役割を考えれば、これもそれほど不思議なことではないだろう。まず、移徙作法勘文を書いたのは、他ならぬ陰陽師であった。そして、陰陽師が移徙作法勘文を書いたのは、移徙を行う人々に新宅作法の次第を伝え、それに必要な準備を整えさせるためであった。それゆえ、陰陽師自身がその準備をすればよい反閇については、殊更《ことさら》に移徙作法勘文に記すまでもなかったのである。

空部屋の霊物と陰陽師の反閇

ときに、平安貴族の家宅で行われた反閇《へんばい》の中には、それが行われた意味を理解し難いものもある。次に引く『権記《ごんき》』には、長保元年（九九九）の七月八日の出来事として、一条天皇が里内裏の一条院の中で東対《ひがしのたい》から北対《きたのたい》へと寝所を移すにあたり、反閇が行われたことが見える。そして、この反閇を行ったのが安倍晴明であったことは見ての通りなのだが、ここで問題なのは反閇が行われた理由である。なぜ一つの家宅の中での移動に反閇が必要だったのだろうか。

○明日北対《きたのたい》に遷《うつ》るべきの事、来八日に延引《えんいん》す。

（『権記』長保元年七月一日条）

○申二剋《さるのふたつのとき》、渡り御《おわ》す。去夕より東対《ひがしのたい》に御す。道は南殿の乾《いぬい》の角の戸を経《ふ》。右中将実成《さねなり》は御劔《みはかし》に候《さぶら》ひ、少将兼隆《かねたか》は御筥《おんはこ》に候ふ。晴明の反閇を奉仕す。了《お》はりて禄《ろく》を給ふ。

（『権記』長保元年七月八日条）

この事例の場合、反閇が行われたこと自体が、天皇が寝所を移した北対に危険な霊物《れいぶつ》が存在することが危惧《きぐ》されていたことを示している。それゆえ、強いて説明をつけようとするならば、右の反閇については、これを北対の霊物に対処するものとして理解しておくのがいいのかもしれない。

そして、これと同様の反閇は、右の一条院内裏において、少なくとももう一回は行われていた。次に引く『権記』に見えるように、寛弘六年（一〇〇九）の六月、一条天皇の第一皇子である敦康親王《あつやすしんのう》が一条院のいずこかから同院内の「七間屋《しちけんのや》」へと寝所を移すにあたり、陰陽師の惟宗文高《ふみたか》が反閇を行ったのである。

○今日、一宮《いちのみや》の七間屋に遷《うつ》り給ふ。亥時《いのときなり》也。（中略）。件《くだん》の屋の東の遣戸《やりど》の前の打橋《うちはし》に至りて、御反《おんへん》閇《ばい》の事有り。文高朝臣の奉仕す。大袿《おおうちき》一領を給ふ。

（『権記』寛弘六年六月二十八日条）

この反閇についても、その意味を明らかにすることは容易ではない。だが、反閇が行われたこと自体から、親王の寝所が移された「七間屋」に霊物による危険が想定されていたと見ることはできるだろう。とすれば、この反閇は「七間屋」の霊物に対処すべく行われたものであったことになろうか。

これら二つの反閇は、家宅から家宅への移徙《いし》にともなう反閇などではなく、言ってみれば、同じ家宅の中での部屋替えのような移動にともなう反閇であった。すなわち、右の二つの事例からは、すでに居住している家宅の中で寝所を替えるにあたっても、平安貴族には反閇が必要になる場合があったことがうかがわれるのである。

あるいは、一条天皇が寝所を移した北対や敦康親王が寝所を移した「七間屋」は、それまで誰も使っていなかった空部屋《あきべや》のような状態にあったのかもしれず、また、空家には霊物が住み着くと考えていた平安貴族は、居住者のいる家宅においても空部屋には危険な霊物が住み着きかねないという理解を持っていたのかもしれない。そして、平安貴族にとっては、空部屋に住み着く霊物への対抗手段も、陰陽師によって行われる反閇という呪術だったのだろう。

家宅と陰陽師

新宅移徙《しんたくいし》によって平安貴族が入居しようとする家宅（新宅）には、実に多くの危険が予想された。平安貴族の理解するところでは、新宅には多数の霊物《れいぶつ》――門神・戸神・井神・竈神《かまどがみ》・堂神・庭神・厠神といった宅神《やかつがみ》、犯土《はんど》を嫌う土公神《つちぎみのかみ》、空家に住み着く鬼や霊など――が住み着いていたのであり、しかも、新宅の霊物は入居者に深刻な危害を加えかねない危険な存在だったのである。

平安貴族が新宅移徙に際して「新宅作法《しんたくのさほう》」と呼ばれる一連の作法を行ったのは、新宅に住む危険な霊物に対処するためであった。水火童女《すいかどうじょ》・黄牛《あめうし》・反閇《へんばい》などを主要な要素とする新宅作法は、宅神や土公神をなだめ、鬼や霊を追い払ったのである。

そして、この新宅作法を平安貴族に指導したのが陰陽師であった。また、その陰陽師は新宅作法の一環として自ら反閇という呪術を行いもした。新宅の霊物から入居者を守ることは、平安貴族が陰陽師に期待した重要な役割の一つだったのである。

しかし、陰陽師が平安貴族を脅かす家宅の霊物に対処したのは、移徙の折ばかりではなかった。すでに見たように、家宅から離れることのあり得ない宅神や土公神などは、移徙の後にも、居住者にとっては常に危険な存在であり続けた。そして、平安貴族が居所の宅神や土公神の祟《たたり》を受けた場合、その祟への対処は陰陽師に期待された役割であった。

なお、平安貴族の家宅をめぐる陰陽師の活動としては、家宅に置かれる呪符《じゅふ》の作成を忘れてはなるまい。『古事談《こじだん》』というのは鎌倉時代前期の十三世紀に編まれた説話集であるが、その『古事談』が陰陽師の呪符について次のような話を伝えている。すなわち、藤原道長《みちなが》の孫である藤原師実《もろざね》が内裏を模《も》して造営した邸宅は、『古事談』が編まれた鎌倉時代にも火災で失われることなく健在であったが、それは寝殿に安倍吉平《よしひら》の作った呪符が置かれていたためであったというのである。

そのような呪符が平安貴族の家宅に置かれていたことは、古記録《こきろく》によっても確認することができる。たとえば、『小右記《しょうゆうき》』によると、焼亡の後に新造された小野宮第《おののみや》では、寝殿の梁《はり》の上に安倍吉平の作った「七十二星鎮《しちじゅうにせいちん》」という呪符が置かれていた（『小右記』寛仁三年十二月二十一日条）。また、『春記《しゅんき》』によれば、藤原資平《すけひら》邸の寝殿の梁の上に置かれたのは、巨勢孝秀《こせのたかひで》という陰陽師の作った二枚の呪符であった（『春記』長久元年十二月十日条）。

さらに、『左経記《さけいき》』によれば、万寿《まんじゅ》三年（一〇二六）の九月のこと、後一条天皇中宮の藤原威子《たけこ》が出産のために移ることになった藤原兼隆《かねたか》の大炊御門《おおいみかど》第では、安倍吉平の作った呪符（「御護《おんまもり》」）が、中宮の在所となる屋舎の四隅の柱に打ちつけられている（『左経記』万寿三年九月二日条）。しかも、『左経記』の伝えるところでは、長元元年（一〇二八）にふたたび中宮威子の出産のための行啓《ぎょうけい》があった際にも、同第の「御在所」となるべき場所には、賀茂守道《もりみち》の作った呪符が打ちつけられたのである（『左経記』長元元年九月二十二日条）。

平安貴族が陰陽師の作った呪符を自宅に置いた理由はよくわからない。古記録には呪符を置く目的までは書かれていないのである。右に紹介した『古事談』の説話は、陰陽師の呪符が火災除けを目的としていたことを示唆するが、寝殿の梁の上に恒久的に置かれたらしい『小右記』や『春記』に見える呪符などは、そうした性格を持っていたのかもしれない。

しかし、『左経記』に見える呪符には、火災除けとは異なる目的があったはずである。その呪符が大炊御門第に置かれたのは、出産を間近に控えた中宮威子の行啓がある折のみであり、しかも、威子の在所となるべき場所にのみであったという。この限定のあり方からすれば、『左経記』に見える呪符は、中宮威子の出産の安全性を確保するためのものであったろう。

もちろん、安全を確保しなければならなかったのは、何かしらの危険が懸念されたからに違いないが、やはり、ここで平安貴族が懸念したことを想定するべきは、霊物のもたらす危険であろう。すでに見たように、平安貴族の理解では、家宅というのはさまざまな霊物が住み着いた場所であり、しかも、家宅に住み着いた霊物はしばしば人々に危害を加えるものだったのである。

このように、平安貴族がそれぞれの自宅に置いた呪符の意味を考えるにしても、平安貴族が家宅というものを多くの霊物の住み着く場所として理解していたことを無視するわけにはいかない。そして、平安貴族が頻繁に陰陽師を必要とするような日常生活を送ったのは、一つには、平安貴族の住む家宅が多くの霊物の住む危険な場所であったためである。それゆえ、多くの霊物が住む家宅も、また、霊物に対処することのできる陰陽師も、平安貴族の生活文化を特徴づける要素として理解されるべきなのである。

二　病気を癒す

前章に見たように、安倍晴明という陰陽師は、平安貴族から「道の傑出者《けっしゅつしゃ》」と評されていた（『権《ごん》記《き》』長保二年〈一〇〇〇〉十月十一日条）。もちろん、ここに言う「道」が意味するものは「陰陽道《おんみょうどう》」に他ならない。すなわち、平安貴族にとっての安倍晴明は、「陰陽道の傑出者」だったのである。

そして、安倍晴明が平安貴族の間でこれほどまでに高く評価されたのは、一つには病気の治療に関する実績が認められたからであった。たとえば、正暦《しょうりゃく》四年（九九三）の二月のこと、晴明は正五位下から正五位上へと位階を進められたが、この加階《かかい》（「加級《かきゅう》」）は禊祓《みそぎはらえ》によって一条天皇の急病を治療したことに対する褒賞《ほうしょう》だったのである。藤原実資《さねすけ》の『小右記《しょうゆうき》』には、次のごとく、実資が晴明自身の口から聞いた手柄話が抄録されている。

○晴明朝臣《あそん》の来たりて加級の由《よし》に触《ふ》る。案内《あない》を問はしむるに、答へて云《い》ふやう、「主上《しゅじょう》に俄《にわか》に御悩《おんなや》み有り。仰《おお》せに依《よ》りて御禊《おんみそぎ》を奉仕するに、忽《たちま》ちに其《そ》の験《しるし》有り。仍《よ》りて一階を加ふ正五位上なり」てへり。

(『小右記』正暦四年二月三日条)

こうして知られるように、平安時代の陰陽師は病気の治療によって名声を高めることができたわけだが、陰陽師の病気治療への関与は、平安貴族にとっては当たり前のことであった。卜占《ぼくせん》や呪術によって病気に対処することは、平安貴族が陰陽師に期待した重要な役割の一つだったのである。

清少納言《せいしょうなごん》の『枕草子《まくらのそうし》』に「にはかにわづらふ人のあるに、験者《げんざ》もとむるに」と見えるように(『枕草子』にくきもの)、病人が出た場合、平安貴族はしばしば「験者《げんざ(げんじゃ)》」と呼ばれる密教僧を頼った。平安貴族が病気治療の役割を期待した相手として現代人に最もよく知られているのは、おそらく、この験者であろう。また、たとえば「又ものさへ熱して悩み給へば、よもやまの医師《くすし》を集めて」と見えるように(『栄花物語』巻第十六もとのしづく)、『栄花物語』という歴史物語からは、平安貴族の病気の治療にはしばしば医師《くすし(いし)》が携わっていたことも知られる。

だが、平安貴族が病気への対処を任せたのは、験者と医師とだけではなかった。一条天皇の急病に際して安倍晴明が喚《よ》ばれたように、平安貴族は陰陽師にも病気に対処することを求めたのである。このことは、次に引く『小右記』からも明らかであろう。すなわち、円融《えんゆう》天皇の足に異常が見られた折のこと、これに対処すべく召喚《しょうかん》されたのは、「御祈り《おんいの》」を行う験者・医師(「医家《いか》」)・陰陽師の三者だったのである。

○去《さんぬ》る月の晦《みそか》の間、御足《みあし》の尋常に非《あら》ざるを留《とど》む。陰陽師を召《め》して占ひ申さしむべし。又医家を召して其《そ》の由を問はしむべし。又御祈りを奉仕せしむべし。

（『小右記』天元五年二月四日条）

では、平安時代中期の陰陽師は、どのような病気に対処したのだろうか。

『占事略決《せんじりやくけつ》』というのは安倍晴明が編纂したとされる卜占の指南書《しなんしょ》であるが、この書物からは当時の陰陽師が扱ったであろう病気の範囲をうかがい知ることができる。『占事略決』の第二十七章では「病《やまい》の祟《たたり》を占ふ法」——病気の原因についての卜占の方法——が論じられており、そこには陰陽師が卜占によって指摘すべき病因の候補が列挙されているのである。

陰陽師の行う病因についての卜占は、無数に存在するはずの可能性の中から結論を導き出すものではなく、当初より設定されているいくつかの候補の中から該当するものを選び出すものであった（『占事略決』占病祟法第二十七）。そして、『占事略決』の挙げる病因の候補は、およそ①神・②仏・③霊鬼・④呪詛《じゅそ》・⑤その他の五つに分類して捉えることができるだろう（表3）。

『簠簋内伝《ほきないでん》』『簠簋《ほき》』『金烏玉兎集《きんうぎょくとしゅう》』などの略称で知られる『簠簋内伝金烏玉兎集《ほきないでんきんうぎょくとしゅう》』をはじめとして、安倍晴明の著作物とされるもののほとんどは、彼の死後に成立した偽書《ぎしょ》である。しかし、右に見た『占事略決』については、村山修一氏の『日本陰陽道史総説』や中村璋八氏の『日本陰陽道書の研究』

表3　『占事略決』に見える病気の原因

[神の類]	社神　氏神　大歳神　土公神　水神　水上神　山神　道路神　竈神　廃竈神　馬祠神　儛神　形像
[仏の類]	仏法　北辰（妙見菩薩）
[霊鬼の類]	丈人（祖霊）　悪鬼　客死鬼　縊死鬼　溺死鬼　兵死鬼　乳死鬼　道路鬼　厠鬼　母鬼　求食鬼　无後鬼
[呪詛]	呪詛
[その他]	風病（風気）　宿食物誤　厨膳　毒薬

がそう断じたように、これを晴明自身の手になるものと認めることができる。とすれば、『占事略決』に列挙された病因候補の数々は、実際に、安倍晴明をはじめとする平安時代中期の陰陽師によって、病気の原因として扱われていたに違いない。

そこで、本章においては、陰陽師がどのようにして病気に対処していたのかということを、おおむねのところ、右に『占事略決』の挙げる病因に与えた類型ごとに見ていくことにする。一口に病気への対処と言っても、その病気の原因に応じて陰陽師のとった対処の仕方は異なったであろうからである。ただし、呪詛については、すでに別の機会に詳しく論じているため（拙稿「呪詛と陰陽師」壱〜参）、本書では呪詛という病因に関する論述は割愛することにしたい。

また、この章では、単に陰陽師の病気への関わり方を見るだけではなく、病気に対処する場面での験者と陰陽師との関係や医師と陰陽師との関係をも見ていくことにしたい。すでに述べたように、平安貴族の病気の治療には、験者・医師・陰陽師の三者が深く関与していたのである。

1　普通の病気と陰陽師

普通の病気

平安貴族が「もののけ」と呼んだのは、神仏や霊鬼といった霊物《れいぶつ》の起こす霊障《れいしょう》である。そして、清少納言《せいしょうなごん》の『枕草子《まくらのそうし》』に「病《やまい》は胸。もののけ。あしのけ」と見えるごとく、その「もののけ」は、平安貴族の間で最も広く知られた病気の一つであった。すなわち、平安貴族にとっての「もののけ」は、胸病や脚気《かっけ》などと同様、よく見られるありふれた病気の一つだったのである。

そして、安倍晴明の著《あらわ》した『占事略決《せんじりゃくけつ》』に見る限り、平安時代中期の陰陽師が対処した病気のほとんどは、霊物の霊障である「もののけ」であった。『占事略決』に挙げられた三十二種類の病因のうち、全体の八割を超す二十七種類までが、神仏や霊鬼などの霊物なのである。また、以前に「呪詛《じゅそ》と陰陽師」という小論において論じたように、呪詛にも式神《しきがみ》や貴布祢明神《きぶねみょうじん》などの霊物が深く関与していたから、その呪詛に起因する病気は、平安貴族にとっては「もののけ」と同じようなものであった。したがって、病気の種類を問題にするならば、『占事略決』によって陰陽師が対処したことの知られる病気は、その九割近くが「もののけ」の類《たぐい》であったことになる。

しかし、そうした「もののけ」の類を除く病気を「普通の病気」と呼ぶとして――もちろん、〈われわれ現代人にとっての普通の病気〉という意味で――、平安時代中期の古記録《こきろく》からは、当時の陰陽師が普通の病気にも対処していた様子を見ることができる。たとえば、一条天皇の罹病《りびょう》に際して召喚された安倍晴明は、その病気が「御膳《ごぜん》の誤《あやま》りの上の事」であることを卜占《ぼくせん》によって判じている。

○主上《しゅじょう》に頗《すこぶ》る悩《なや》み御《おわ》す気有り。就中《なかんずく》□。晴明に御占《おんうらない》を奉仕せしむるに、御膳の誤りの上の事を□

（『小右記《しょうゆうき》』永祚元年正月六日条）

ここで安倍晴明の卜占によって病因として指摘された「御膳の誤り」というのは、おそらく、食中毒や消化不良などのようなものであろう。また、『占事略決』に見える「宿食物誤」や「厨膳」も、これに類するものなのではないだろうか。そして、これらを原因とする病気が「普通の病気」であることは言うまでもない。

また、先に見た『占事略決』は「風病《ふびょう》」というものを病因の一つに挙げていたが、平安時代中期の古記録には、平安貴族の病気が陰陽師の卜占によって「風病」と判断された事例が散見する。たとえば、藤原実資《さねすけ》の『小右記』には、実資自身の病気が安倍吉平《あべのよしひら》の卜占によって咳病《しわぶきやみ》および風病の合併症と判じられたことや、同じく実資の「心神太いに悩まし」という症状が中原恒盛《なかはらのつねもり》という陰陽師の卜占によって「風病の致す所」と判じられたことの他、実資の養子の藤原資平《すけひら》（中将）の病気が大中《おおなか》臣為俊《とみのためとし》という陰陽師の卜占によって風病および「もののけ」の合併症と判じられたことまでもが見えるのである。

○去《さんぬ》る二日より心神宜《よろ》しからず。夜寝ず。吉平の占ひて云《い》ふやう、「咳病の余気の上、風病発動す」てへり。

（『小右記』寛仁二年〈一〇一八〉十二月四日条）

○昨戌時許《いぬのときばかり》、心神太いに悩まし。夜を通して乖諸す。暁旦《ぎょうたん》に臨みて弥《いよいよ》苦し。恒盛を以《もっ》て占はしむるに、云ふやう、「風病の致す所なり」てへり。

（『小右記』万寿四年〈一〇二七〉十月二十八日条）

○中将の去夜は悩み煩《わずら》ふ。今朝は頗《すこぶ》る宜《よろ》し。陰陽属《おんみょうのぞく》為俊の占ひて云ふやう、「風病の上、邪気《じゃけ》・竈神《かまどがみ》の祟《たたり》を加ふるか」と。

（『小右記』長元元年〈一〇二八〉九月二十八日条）

平安貴族が「風病」と呼んだのは、服部敏良博士の『平安時代医学史の研究』によれば、「中枢《ちゅうすう》性《せい》・末梢《まっしょうせい》性神経系疾患《しっかん》」であった。つまり、この病気も普通の病気の一つなのである。そして、この風病という病気こそが平安時代中期の古記録に最も頻繁に登場する普通の病気なのだが、右に引いた『小右記』に明らかなように、当時の陰陽師はしばしば平安貴族の患う風病に対処していたのである。

なお、安倍晴明の『占事略決』は普通の病因の一つとして毒薬を挙げているが、この毒薬については、その実例を平安時代中期の古記録に見出すことができない。しかし、現に『占事略決』に記載があったことから見て、当時の陰陽師には毒薬に対処する用意があったのだろう。

『栄花物語』に見える風病

「風病」は「ふびょう」の他に「かぜのやまい」とも読まれたものと思われるが、平安貴族は風病を単に「風《かぜ》」とも呼んだ。そのため、歴史物語の『栄花物語《えいがものがたり》』では、次の引用に見えるごとく、藤原実頼《さねより》（摂政殿）・藤原道長《みちなが》（入道殿）・藤原教通《のりみち》（関白殿）の患った風病が「風（御風《おんかぜ》）」と記されている。ここに見える「風（御風）」が病気を意味していることは、実頼の参内《さんだい》が困難になった原因として「風」が登場していること、道長が「御風」のために「悩《なやま》しう」という状態にあったとされていること、そして、教通が「御風」のために没したとされていることから見て、まったく疑うべくもないだろう。

○摂政殿も怪《あや》しう風起《おこ》りがちにておはしまして、内《うち》にもたはやすくは参り給はず。

（『栄花物語』巻第一月の宴）

○この頃《ごろ》入道殿も、御風など起らせ給《たまい》て、さまざま悩しうおぼさるれば、（後略）

（『栄花物語』巻第二十五みねの月）

○関白殿御風のけしきおはしますとあれば、とまらせ給ひぬ。三四日ばかりありてうせさせ給ひぬれば、（後略）

（『栄花物語』巻第三十九布引の滝）

また、『栄花物語』には「みだり風《かぜ》」という言葉が見えるが、この言葉も風病を意味する。次の引用に見えるように、円融《えんゆう》天皇の召喚に応じようとしない藤原兼家《かねいえ》（大臣）の構《かま》えた口実の一つを、『栄花物語』は「みだり風」と表現しているのである。ここでの兼家の風病は仮病に過ぎないものの、この事例から平安貴族が風病を「みだり風」とも呼んでいたと見ていいだろう。

○度々《たびたび》「大臣《おとど》参らせ給へ」と内《うち》より召《め》しあれど、みだり風などさまざまの御障《おんさわり》どもを申させ給ひつつ参らせ給はぬを、（後略）

（『栄花物語』巻第二花山たづぬる中納言）

右の事例において藤原兼家が仮病の風病を口実に出仕《しゅっし》を拒《こば》んでいることからもわかるように、風病というのは平安貴族の間では相当に頻発した病気であった。そのためか、歴史物語である『栄花物語』には十三例もの風病が描かれており、風病は『栄花物語』において「もののけ」に次いで登場回数の多い病気となっている。

なお、平安貴族が患った風病は、われわれがしばしば何かの口実にする風邪《かぜ》とは異なる病気であった。

風病という病気が顔面の火照《ほて》りや全身の倦怠感《けんたいかん》をもたらしたことは、『栄花物語』に描かれた皇太后《こうたいごう》藤原妍子《きよこ》（「大宮《おおみや》の御前《おんまえ》」）の症状から容易にうかがわれよう。また、風病を患う妍子が「御足《みあし》たたかせて起き臥《ふ》させ給ふ」というように足の按摩《あんま》を必要としたことからすれば、風病によって四肢《しし》に異常が生じることもあったのかもしれない。そして、これらの症状だけを見るならば、平安貴族の風病とわれわれの風邪との間に大きな違いは感じられない。

○　かかる程に、大宮の御前あやしう悩《なやま》しうおぼされて、ともすればうち臥させ給ふ。御面《おんおもて》赤み苦しうて、御足たたかせて起き臥させ給ふ。「心得《こころえ》ぬ心地《ここち》かな」との給はせつつ、起き臥させ給て、この御事を扱はせ給ふ。「御風にや」と朴《ほお》きこしめさせなどすれど、同じ様《さま》におはしまして、かくて四五日にならせ給ひぬ。

（『栄花物語』巻第二十八わかみづ）

しかし、小一条院敦明親王《こいちじょういんあつあきらしんのう》の女御《にょうご》であった藤原延子《のぶこ》（「堀河の女御」）の事例から知られるように、平安貴族の風病がもたらす症状や結果は、われわれの知る風邪がもたらすそれらとは比べものにならないほどに深刻なものになることがあった。すなわち、延子が患った風病について、『栄花物語』は次のように記しているのである。

○　寛仁《かんにん》三年四月ばかりに、堀河の女御、明暮《あけくれ》涙に沈みておはしませばにや、御心地《おんここち》も浮き、あつうもおぼされて、例《れい》ならぬ様にてありすぐさせ給ふ程に、いと悩しうおぼされければ、「御風にや」とて、ゆでさせ給ひて、上《のぼ》らせ給ふに、御口鼻《おんくちはな》より血あえて、やがて消え入り給ひぬ。

（『栄花物語』巻第十六もとのしづく）

「御心地も浮き」「あつうもおぼされて」といったあたりは、われわれも風邪をひいた折に経験する症状である。しかし、平安貴族の風病の場合、さらに「御口鼻より血あえて」という重篤《じゆうとく》な症状をも引き起こし、ついには患者を死に至らしめることさえあった。そして、右に見える延子のように口や鼻から血を吹き出して息絶えるというのは、われわれの知る風邪の症状ではない。

こうした文学作品に見える風病の症状は、先にも引いた服部敏良博士の『平安時代医学史の研究』でも十分に検討されている。そして、文学作品こそを主要な手がかりとして考察した服部博士によれば、平安貴族が「風病」と呼んだ病気は、「頭痛・腰痛・四肢痛等の如《ごと》き神経痛様疾患《しっかん》から脳溢血《のういっけつ》・半身不随《はんしんふずい》等の如き重症をも含んだすべての中枢性・末梢性神経系疾患であった」。すなわち、医師を職業とした服部博士の見立てでも、平安貴族の風病は、われわれの風邪よりはるかに重い病気だったのである。

『小右記』に見える風病

ただ、右に見た服部博士の結論は、古記録《こきろく》に記された風病《ふびょう》の実態を踏まえたものではない。もっぱら『栄花物語』などの文学作品から平安貴族の患った病気を理解しようとする服部博士の研究では、古記録に見える平安貴族の証言が取り上げられることはほとんどないのである。とすれば、ここでは平安時代中期の古記録に語られた風病の姿を見ておくことも必要であろう。

表4　『御堂関白記』に見える風病の記事

年　月　日	患　者	備　　考
寛弘元・⑨・19	源倫子	「是は風病也」
2・12・4	藤原道長	「風病発す」
4・12・26	藤原道長	「風病発動す」
7・8・3	藤原道長	「日来に風病発す」
7・12・23	藤原道長	「風病発動す」
8・正・1	藤原道長	「風病発動す」
8・11・20	藤原道長	「風病発動す」
8・11・24	藤原道長	「日来に風病発動す」
長和元・4・19	三条天皇	「昨日より御風発す」
元・11・20	藤原道長	「風病発動す」
2・4・10	藤原道長	「風病発動す」
4・6・2	藤原道長	「昨日より風病発動す」
5・8・17	後一条天皇	「風病を発して悩み給ふ」
寛仁元・3・27	藤原道長	「風病発動し，心神宜しからず」
2・正・25	藤原道長	「風病発動し，心神宜しからず」
2・正・30	藤原道長	「日来に風病発動す」
2・4・20	後一条天皇	「御風を発し給ふ．是は日来に氷を召すに依る也」

註　○内の数字は閏月を示す．

その場合、まず最も基本的なことに言及するならば、平安時代中期の古記録は風病という病気の発症を「風病《ふびょう》発動《はつどう》す」と表現することが多い（表4・表5）。この表現は当時の文学作品には見られないものであり、それゆえ、これを古記録に独特の表現と見ることができるだろう。

そして、この「風病発動す」という常《じょう》套句《とうく》に注目するならば、『小右記《しょうゆうき》』に見える「風痾《ふうあ》」という言葉は、風病の別称の一つであろう。すなわち、治安《じあん》三年（一〇二三）の正月十六日の『小右記』には禅林寺《ぜんりんじ》の深覚僧正《じんがくそうじょう》について「昨日より風病発動す」との記述があるのだが、その翌日の同記には同じ深覚に関して「一昨日より風痾発動す」と見えるのである。平安貴族が風病を「風痾」とも呼んだことは間違いない。

また、当時の古記録——とくに藤原実資《さねすけ》の『小右記』——には、しばしば風病の症状についての詳細な記述が見られる。

たとえば、長和四年（一〇一五）の六月五日の『小右記』は、藤原道長《みちなが》に「風病発動の由《よし》」があったことを伝えるが、この三日前の同記には道長の症状が「頭を打ちて頗《すこぶ》る悩まし」というものであったことが見える。すなわち、このときの道長は風病のために頭痛に苛《さいな》まれていたのである。そして、同じ『小右記』からは、長和三年十二月に藤原道長の患った風病が「手足の冷たきこと金《かね》の如《ごと》し」という症状を示したことも知られる。このときの風病は、道長の四肢に異常をもたらしたのであった。

○日来《ひごろ》に風病発動す。手足の冷たきこと金の如し。心神太いに悩まし。

（『小右記』長和三年十二月二十五日条）

また、『小右記』によれば、藤原実資自身が患った風病（風痾）の症状は、「身熱くして辛《つら》く苦し」「飲食を受けず」「痢病《りびょう》発動す」といったものであった。実資には風病のために火照《ほて》り・食欲不振・下痢《げり》といった症状が現れたのである。

○昨酉剋《とりのときばかり》許より心神亦《また》乱る。身熱くして辛く苦し。風痾の疑ひ有るに依《よ》りて、早旦《そうたん》に沐浴《もくよく》す。

（『小右記』長保元年九月十四日条）

○余《よ》は未剋許《ひつじのときばかり》より心神極めて悩まし。飲食を受けず。宵《よい》を通して辛く苦しき所、暁更《ぎょうこう》頗《すこぶ》る宜《よろ》し。

表5　『小右記』に見える風病の記事

年　月　日	患　者	備　　　考
長保元・9・14	藤原実資	「昨酉剋許より心神亦乱る．身熱くして辛く苦し．風痾の疑ひ有るに依りて，早旦に沐浴す」
長和元・4・19	三条天皇	「是は御風病なり」
元・7・13	三条天皇	「御風病を発し御す」
3・12・25	藤原道長	「日来に風病発動す．手足の冷たきこと金の如し．心神太いに悩まし」
3・12・28	源貞亮	「煩ふ所有り．風病に似る」
4・6・5	藤原道長	「風病発動の由」
4・6・7	藤原道長	「風病を労せらる」
4・12・9	三条天皇	「御風病に似る．亦御面赤し．若しくは御邪気か」
5・2・23	藤原道長	「風病を労せらる」
5・2・24	藤原道長	「風病を労せらる」
5・4・30	藤原実資	「身熱くして心神宜しからず．疑ふ所は若しくは是は風気の致す所か」
寛仁元・12・30	藤原資平	「風病発動す」
2・5・17	藤原頼通	「風病発動の由を云ひ出ださる」
2・12・4	藤原実資	「咳病の余気の上，風病発動す」
3・2・8	藤原実資	「沐浴の後，風気を恐る」
4・12・3	藤原実資	「日来に風病発動し，参内すること能わず」
4・⑫・27	藤原頼通	「風病を発し給ふ」
治安3・正・16	深覚	「昨日より風病発動す」
3・正・17	深覚	「一昨日より風痾発動す」
3・正・22	藤原頼通	「此の一両日，風病発動す」
3・5・12	藤原資平	「一昨夕より風病発動して煩ひ有り」
3・11・19	藤原実資	「風病重く発す」
3・11・21	藤原実資	「風病発動す」
3・12・22	藤原経任	「一昨日より拾遺は風病重く不覚なり」
万寿元・5・23	藤原頼通	「関白の悩気は風病に非ず．時行に似る」
元・10・24	藤原斉信	「斉信卿は風病を治す為なりと云々」
元・12・11	後一条天皇	「主上は今暁より不予なり．御風を発し御すか」
元・12・22	藤原行成	「風病発動す」
2・3・8	藤原頼通	「風病発動す」「風病を重く発す」
2・3・12	藤原頼通	「風病は未だ癒えず」
2・3・13	藤原頼通	「日来に風病時々発動す．今日は弥発す」
2・10・22	藤原実資	「風病発動す」
2・11・26	藤原実資	「風病発動す」

万寿2・12・2	藤原実資	「風発動の由」
2・12・22	藤原頼通	「今明風病宜し」
4・正・19	藤原頼通	「風病発動す」
4・正・24	藤原頼通	「日来に風病発動す」
4・3・4	藤原実資	「心神極めて悩まし．飲食を受けず．宵を通して辛く苦しき所，暁更頗る宜し．疑ふ所は風病発動するか」
4・4・9	藤原頼通	「風病発動す」「風病を称して参らず」
4・5・19	藤原実資	「昨より痢病発動す．今日，減ずること有り．風病の致す所也」「祟無し．風気也」
4・10・28	藤原実資	「心神太いに悩まし」「風病の致す所なり」
4・11・10	藤原実資	「風病相剋，心神無力」
4・11・13	藤原実資	「目の眩みて極めて悩まし．猶ほ風の相剋するか」「風病に依りて忌日と雖も僧を以て齊食をせしむる事」
4・11・21	藤原実成	「風病の由を申す」
長元元・7・25	藤原頼通	「風病発動す」
元・9・22	藤原実資	「陰陽属為利を以て占はしむるに，申して云ふやう，『偏に風の発動するなり』てへり」
元・9・28	藤原資平	「風病の上，邪気・竈神の祟を加ふるか」
2・正・2	藤原実資	「風病発動す」
2・9・13	藤原頼通	「住所の鬼霊幷びに風気に依りて悩まるる由」
3・5・4	藤原実資	「相成を召して風病の療治を問ふ」
4・正・25	藤原頼通	「風病発動す」「風病堪へ難し」
4・正・27	藤原頼通	「御風」「風病宜しきに似る」
4・2・7	藤原頼通	「風病は頗る平復す」
4・2・11	藤原教通	「風病発動の由」
4・3・28	藤原頼通	「風病発動す」
4・7・2	藤原資房	「風病に似る．但し頭を打ちて頗る熱し．時疫か」
5・正・23	藤原頼通	「風病を重く発す」「是は風病に非ず」

註　○内の数字は閏月を示す．

疑ふ所は風病発動するか。

（『小右記』万寿四年三月四日条）

○昨より痢病発動す。今日、減《げん》ずること有り。風病の致す所也《なり》。

（『小右記』万寿四年五月十九日条）

さらに、『小右記』の長和四年十二月九日条からは風病に罹《かか》った三条天皇に「御面《おんおもて》赤し」という火照りの症状が出たことが知られるが、この火照りの他、右に見てきた四肢の異常・食欲不振・下痢《げり》などは、服部博士の『平安時代医学史の研究』が列挙する平安文学に見える風病の症状と異ならない。したがって、平安貴族の風病を「頭痛・腰痛・四肢痛等の如き神経痛様疾患から脳溢血・半身不随等の如き重症をも含んだすべての中枢性・末梢性神経系疾患」と見做す服部博士の見解は、平安時代中期の古記録によっても裏づけられることになるだろう。

風気という病因

ところで、安倍晴明の『占事略決《せんじりやくけつ》』においては、風病《ふびよう》は神仏・霊鬼・呪詛《じゆそ》・毒薬などと同列に並べられていた。つまり、そこでの風病は、病気それ自体としてではなく、病気の原因（病因）として扱われているのである。

しかし、以上に見てきたところから明らかなように、平安貴族にとっての風病は、病気の原因である病因ではなく、病気そのものであった。そして、平安貴族の理解する風病は、「風気《ふうき(かぜのけ)》」というものを病因としていた。

たとえば、藤原実資《さねすけ》が万寿四年（一〇二七）の五月に患った下痢は、実資自身によって風病の症状と見做されるとともに、陰陽師の中原恒盛《つねもり》の卜占《ぼくせん》によって「風気」によるものと判じられている。次に引く『小右記』の前半部分はすでに紹介したが、ここで注目したいのは後半部分である。

○昨より痢病発動す。今日、減ずること有り。風病の致す所也。恒盛の占ひて云《い》ふやう、「祟《たたり》無し。風気也《なり》」てへり。

（『小右記』万寿四年五月十九日条）

また、「身熱くして心神宜《よろ》しからず」というのは、すでに見たように、平安貴族の風病に一般的な症状の一つであるが、次に引く『小右記』によれば、この症状に見舞われた藤原実資は、これを「風気の致す所」と見做したのであった。すなわち、ここでの実資は、風病が「風気」を原因として生じることを証言してくれているのである。

○午剋許《うまのときばかり》より身熱くして心神宜しからず。疑ふ所は若《も》しくは是《これ》は風気の致す所か。

（『小右記』長和五年四月三十日条）

それでは、風病の原因であった風気というものについて、平安貴族はどのような理解を持っていたのだろうか。

この点について考えるうえでは、次に引く『御堂関白記《みどうかんぱくき》』の記事は絶対に見逃すことができない。後一条天皇が寛仁《かんにん》二年（一〇一八）の四月に風病を患った折、このときの天皇の罹病《りびょう》の原因として、藤原道長は連日の氷の摂取を挙げたのである。

○御風《おんかぜ》を発し給ふ。是《これ》は日来《ひごろ》に氷を召《め》すに依《よ》る也。

（『御堂関白記』寛仁二年四月二十日条）

また、次に見る『小右記』の記事も、平安貴族が風気というものをどのように理解していたのかを示唆してくれる。寛仁三年の二月のこと、藤原資業《すけなり》が訪ねてきた折に沐浴《もくよく》の直後であった藤原実資は、資業と直接に会おうとはしなかった。そして、沐浴の直後には風気を恐れる必要があって簾《すだれ》の外に出るわけにはいかなかったというのが、実資が来客の応対をしなかった理由であった。

○蔵人右少弁《くろうどうしょうべん》資業の来たるに、宰相《さいしょう》を以《もっ》て相《あ》ひ逢《あ》はしむ。沐浴の後、風気を恐るる為《ため》、暫《しばら》く簾の外に出《い》でざるの故《ゆえ》也。

（『小右記』寛仁三年二月八日条）

これらの事例からは、身体を冷やすことが風病を患うことにつながると考えられていたことが読み取れよう。つまり、平安貴族が風病という病気の原因と見做していたのは、どうやら、いわゆる「冷《ひ》え」だったようなのである。そして、この推測を裏づけるように、『栄花物語』には次のような一節が見られる。

○この比《ころ》の人は、うたて情《なさけ》なきまで着《き》重《かさ》ねても、猶《なお》こそは風《かぜ》なども起《おこ》るめれ。

（『栄花物語』巻第六かがやく藤壺）

最近の人はみっともないほどに厚着をしても風病に罹《かか》る——このように言うからには、そもそも、薄着をすると風病に罹るという共通理解があったに違いない。すなわち、薄着をして身体を冷やすことで風病を患うというのが、平安貴族が共有する風病についての理解だったはずなのである。とすれば、薄着などによる身体の冷えこそが、平安貴族の言う「風気」なのではないだろうか。

そう言えば、服部敏良博士の『平安時代医学史の研究』における数少ない古記録への言及の一つは、『御堂関白記』に見える風病の半数が冬期に起きていることを指摘するものであった。そして、『小右記』に見える風病の事例も、その過半が他の時期に比べて明らかに気温の低い十月から一月までに発生している。やはり、平安貴族が「風気」と呼んだものは、身体の冷えだったのであろう。

なお、平安貴族の理解では、この風気が人々の身体に与えた悪い影響は、風病という病気の発症ばかりではなかった。藤原実資の『小右記』には、風気が他の病気を悪化させた事例や医薬が風気のために効力を失ってしまった事例などが見えるのである。

○余《よ》の寸白《すぱく》は面上《かおのうえ》に腫《は》る。頗《すこぶ》る宜《よろ》しきに依《よ》りて参入す。而《しか》るに風気に依りて弥《いよいよ》腫る。仍《よ》りて朝講《ちょうこう》の未《いま》だ了《お》はらざる間に退出す。

（『小右記』寛仁二年十二月十七日条）

○五更、呵梨勒卅丸《かりろくさんじゆうがん》を服《ふく》す。昨日は快瀉《かいしや》せず。仍《よ》りて加へて今十丸を服す。而《しか》るに殊《こと》には瀉せず。若《も》しくは風気の相刻《そうこく》するか。

（『小右記』治安三年十一月十七日条）

右に引いた『小右記』の最初の記事によれば、寛仁二年（一〇一八）の冬のこと、実資は腫物ができる「寸白」という病気を顔面に患っていたが、その腫物が大きくなると、それを実資は風気の仕業《しわざ》と見做していた。また、二つ目の『小右記』の引用に見える実資の考察によると、便秘《べんぴ》を解消するために服用した「呵梨勒丸《かりろくがん》」という医薬が効果を示さないのは、風気が薬の効き目を打ち消してしまったためであった。

風病の治療

長元《ちようげん》三年（一〇三〇）の五月のこと、風病《ふびよう》を患う藤原実資《さねすけ》のもとに藤原頼宗《よりむね》（春宮大夫《とうぐうだいぶ》）からの見舞いの使者が訪れた。『小右記《しようゆうき》』によれば、このときの頼宗の見舞いは、相成《すけなり》という者の指示に従って風病を治療することを勧めるものであった。そして、ここに名前の上がった相成という人物は、和気相成《わけのすけなり》という医師である。すなわち、頼宗が実資に勧めたのは、医師の行う医療による治療だったのである。

○春宮大夫、為資朝臣《ためすけあそん》を以《もつ》て相《あ》ひ訪《とぶら》ふ。「相成を召して風病の療治《りようじ》を問ひ、申す所に随《したが》ひて其《そ》の治を加ふべし」てへり。

(『小右記』長元三年五月四日条)

平安貴族が風病を治療するために最も頻繁に行ったのは、「朴《ほお》」という医薬の服用と「湯茹《ゆゆで》」と呼ばれる湯治《とうじ》とであった。平安貴族が風病の治療に朴を服したことについては、医学者の服部敏良博士もこれを妥当《だとう》としている。朴というのはモクレン科の樹木であり、その樹皮や根皮を乾燥させたものは今でも漢方薬の原料として使われているのである。また、平安貴族は冷え＝風気《ふうき(かぜのけ)》を風病の原因と見ていたのであるから、彼らが風病を患った際に湯茹によって身体を温めようとしたのは当然のことであろう。

平安貴族が風病に際して朴を服用して湯茹を行ったことは、先に風病の症状を見た『栄花物語』に散見する。朴および湯茹の両方がはっきりと確認されるのは藤原行成《ゆきなり》(侍従大納言《じじゅうだいなごん》)の事例だけであるが、藤原道兼《みちかね》(関白殿)も朴を服していることから見て、藤原師輔《もろすけ》(九条殿)が服した「薬」も朴であろうし、また、藤原公信《きみのぶ》(兵衛督《ひょうえのかみ》)が有馬《ありま》に向かったのは湯茹のためであったろう。

○侍従大納言の、朔日《ついたち》よりあやしう例《れい》ならぬ、風にやとて朴参り、湯茹などして心《こころ》み給《たまい》けれど、いと苦しうのみおぼされければ、(後略)

(『栄花物語』巻第三十つるのはやし)

○　かかる程に、九条殿悩《なやま》しうおぼされて、御風などいひて、御湯茹《おんゆゆで》などし、薬きこしめして過

ぐさせ給ふほどに、（後略）

（『栄花物語』巻第一月の宴）

○かかる程に、関白殿御心地《おんここち》猶悪《なおあ》しうおぼさるれば、「御風にや」などおぼして、朴など参らすれど、さらにおこたらせ給はず、起臥安《おきふしやす》からずおぼされたり。

（『栄花物語』巻第四みはてぬゆめ）

○この兵衛督、もののみ心細くおぼして、心地も例ならず覚え給ひければ、風などいひければ、有馬へと出《い》で立ち給へど、（後略）

（『栄花物語』巻第二十七ころものたま）

そして、藤原頼宗《よりむね》が風病を患う藤原実資に勧めた医師の指導する治療というのは、右に見たような朴の服用と湯茹とであったと考えられる。

『権記《ごんき》』によれば、藤原行成《ゆきなり》は「紅雪《こうせつ》」という医薬とともに「厚《あつ》き朴《ほお》の汁」を飲む夢を見たことがあったが、ここで行成に紅雪と朴とを飲ませたのは、清原滋秀《きよはらのしげひで》という医師であった。この行成の夢からは、朴が「厚き朴の汁」というかたちで服用されたこととともに、朴が医師によって扱われる医薬であったことが知られる。風病を患った際、おそらく、平安貴族は医師の指導によって朴を服用していたのだろう。

○此《こ》の夜の夢。故典薬頭《てんやくのかみ》滋秀真人《まひと》の紅雪を予《よ》に服《ふく》せしむ。厚き朴の汁に入れて之《これ》を飲む。

（『権記』寛弘六年九月九日条）

また、もう一方の湯茹についても、医師は何らかの指導をしたものと思われる。風病を患う藤原延《のぶ》子《こ》が口や鼻から血を吹き出して死んだのは、『栄花物語』に「『御風にや』とて、ゆでさせ給ひて」と見えるように（『栄花物語』巻第十六もとのしづく）、湯茹の最中であった。湯茹の湯に逆上《のぼ》せたことが、延子の直接の死因となったのである。そして、湯茹という治療がときには風病患者の死期を早めてしまうことは、当然、平安貴族も承知していたことだろう。とすれば、湯茹を行うに際しても、平安貴族は医師に何らかの助言を求めたのではないだろうか。

治療に関われない陰陽師

では、本書の主人公である平安時代の陰陽師は、風病《ふびょう》という病気の治療にどのように関わっていたのだろうか。

その陰陽師と風病との関係は、『小右記《しょうゆうき》』に見える次のような記事に最も端的に示されている。すなわち、藤原実資《さねすけ》の証言によれば、万寿《まんじゅ》四年（一〇二七）の十月に実資自身が風病を患った折、実資に喚《よ》ばれた陰陽師の中原恒盛《つねもり》は、卜占《ぼくせん》によって実資が風病を患っていることを判じただけであり、その風病の治療に携わることはまったくなかったのである。

○昨戌時許《いぬのときばかり》、心神太いに悩まし。夜を通して乖諸す。暁旦《ぎょうたん》に臨《のぞ》みて弥《いよいよ》苦し。恒盛を以《もっ》て占はしむるに、云《い》ふやう、「風病の致す所なり」てへり。朴《ほお》の皮《かわ》を服す。辰剋《たつのとき》許《ばかり》より頗《すこぶ》る宜《よろ》し。又湯治《とうじ》を加ふ。

（『小右記』万寿四年十月二十八日条）

右の事例において藤原実資に施《ほどこ》された治療は、朴の服用と湯茹《ゆゆで》（湯治）とであった。そして、すでに見たごとく、朴の服用および湯茹は、医師の指導を受けて行われるべき治療であった。つまり、実資が風病の治療を任せたのは、医療を扱う医師であり、呪術を扱う陰陽師ではなかったのである。

そして、管見の限り、平安時代中期の古記録《こきろく》には、陰陽師が直接に風病の治療にあたった事例を見出し得ない。また、そうした事例は、十三例もの風病が登場する『栄花物語』にもまったく見当たらない。古記録や『栄花物語』に見える風病の治療は、常に医師の扱う医療に属する朴の服用や湯茹によるものなのである。

どうやら、平安貴族にとっては、風病の治療は医師によって担われるべきものであり、そこに陰陽師の関与する余地はなかったらしい。

ちなみに、験者《げんざ(げんじゃ)》の場合には、陰陽師と同様に呪術をもって病気を治そうとする存在であっても、風病の治療に関与する機会が与えられることがあった。

たとえば、『小右記』によると、三条天皇ににわかに風病の症状が出た長和元年（一〇一二）の七月十三日には、急遽、その三日後の十六日から文慶《もんけい》という験者に修法《すほう》を行わせることが決められている。この修法が風病の治療を目的としたものであることは言うまでもないだろう。また、次に引く『栄花物語』によれば、藤原頼通《よりみち》（大将殿）が風病を患った際には、朴の服用や湯茹などの医師の指導する治療と並行するかたちで、明尊《みょうそん》などの験者が治療のための読経《どきょう》を行ったのであった。

○　かかる程に、如何《いかが》しけん、大将殿日来《ひごろ》御心地いと悩《なやま》しうおぼさる。「御風などにや」とて、御湯茹せさせ給ひ、朴きこしめし、「御読経《みどきょう》の僧ども番《ばん》かかず仕《つか》まつるべく」など宣《のたま》はせ、明尊阿《みょうそんあ》闍梨《じゃり》夜ごとに夜居《よい》仕《つこ》うまつりなどするに、御心地さらにおこたらせ給ふさまならず、いとど重《おも》らせ給ふ。

（『栄花物語』巻第十二たまのむらぎく）

とはいえ、患者が天皇や摂関家の嫡男であったように、右の二つの事例は相当に特殊なものである。これらと同様の事例はそう見当たるものではない。風病の治療に験者が関与することがあったのは、おそらく、患者が特別な地位にある人物の場合だけであったろう。そして、その場合でも、右の『栄花物語』に朴のことも湯茹のことも見えるように、朴の服用や湯茹といった医師の医療による治療が行われたうえで、それに付加するようにして験者の呪術が行われたに違いない。

いずれにせよ、問題になっているのが風病という普通の病気である場合、禊祓《みそぎはらえ》のような呪術をもって病気を治そうとする陰陽師には、その病気を直接に治療する役割が与えられることはなかった。風病の治療に関しては、医療をもって病気を治そうとする医師こそが、平安貴族の信頼を集めていたのである。

医療の有効性および安全性を保証する陰陽師

ただし、その医師の扱う医療の有効性および安全性を保証するというかたちで、陰陽師が風病《ふびょう》の治療に間接的に関与することはあっただろう。平安貴族が医療の有効性や安全性を保障・保証する役割を期待していたのは、医療を扱う医師ではなく、卜占《ぼくせん》や呪術を扱う験者《げんざ》や陰陽師だったのである。

平安貴族が医師の医療に信頼を寄せていたことは、すでに見てきたところから十分に明らかであろう。たとえば風病を患った場合、平安貴族はほとんど常に医師の扱う医療のみによって病気を治そうとしたのである。しかし、平安貴族もときには医療の有効性や安全性に不安を抱くことがあったらしい。そして、そうした折、平安貴族が医療の有効性や安全性の保障・保証を期待したのは、験者や陰陽師であった。

たとえば、長和四年（一〇一五）の四月のこと、清原為信《きよはらのためのぶ》という医師の具申《ぐしん》によって眼病を患う三条天皇に「紅雪《こうせつ》」という医薬が投与されることになったが、次に引く『小右記《しょうゆうき》』の語るように、この投薬の是非《ぜひ》を判じたのは陰陽師の安倍吉平《よしひら》が行った卜占であり、かつ、天皇が服すことになった医薬には験者（広隆寺《こうりゅうじ》の僧）が加持《かじ》を加えたのであった。すなわち、ここに登場する紅雪という医薬の有効性および安全性は、陰陽師の卜占によって保証され、かつ、験者の呪術（加持）によって保障されたのである。

○晦日《みそか》、為信真人《まひと》の申すに依《よ》りて紅雪を服し御《おわ》すべし。吉平を以《もっ》て占ひ申さしむるに、優《すぐ》れて吉《きち》の由《よし》を申せば、明日、出納《すいとう》を差《や》りて紅雪を広隆寺に遣《や》り、加持《かじ》せしむべし。

（『小右記』長和四年四月二十七日条）

そして、平安貴族が医療の有効性や安全性の保証を陰陽師の卜占に求めていたことは、『小右記』から引く次の記事によってもうかがうことができるだろう。長和三年の六月のこと、藤原実資《さねすけ》は鎮西《ちんぜい》に滞留する宋国の医僧《いそう》から愛児に飲ませる医薬を購入するが、その名称が不明であることから入手した医薬に不信感を持った実資は、その医薬の使用の是非を賀茂光栄《みつよし》・安倍吉平の二人の陰陽師の卜占に委《ゆだ》ねたというのである。

○太宋国の医僧の送る所の薬、其《そ》の名を注《ちゅう》せず。疑慮多端《ぎりょたたん》なり。仍《よ》りて光栄・吉平等を以《もっ》て善悪を占はしむるに、不快《ふかい》の由《よし》を占ふ。占告《せんこく》に依《よ》りて小児に服せしむるを止《とど》む。

（『小右記』長和三年六月二十八日条）

また、『小右記』には次のような事例も見える。すなわち、万寿《まんじゅ》二年（一〇二五）の八月に藤原資《すけ》房《ふさ》が下痢《げり》の止まらない状態に陥った際、藤原実資は陰陽師の卜占に従って孫の資房に韮《にら》を服させるかどうかを決めたのである。われわれには普通の食材に過ぎない韮を平安貴族は医薬として扱っていたわけだが、実資が韮を腹病の薬として使用することの是非に関する判断を委ねたのは、医薬の専門家であるはずの医師ではなく、卜占の専門家である陰陽師であった。

○資房の腹を病むこと休《やす》まらず。韮を服せしめんと欲す。(中略)。今日に韮を服すは若《も》しくは卒《そつ》なるべけんや。両三の陰陽師に問ひて占ひに随《したが》ひて服すべし。

(『小右記』万寿二年八月二十一日条)

当然、平安貴族に医薬を提供したのは医師であったろうが、右に見たように、その医薬の有効性や安全性を平安貴族に保証させられたのは陰陽師であった。医師の扱う医療の中でもとくに医薬については、平安貴族はしばしば陰陽師の卜占によってその有効性および安全性を確保しようとしたのである。卜占による医療の有効性や安全性の保証は、平安貴族が陰陽師に求めた重要な役割の一つであった。とすれば、医師が平安貴族の風病を治療しようとする場面でも、朴の服用や湯茹の有効性および安全性を保証するため、陰陽師の卜占が必要とされることがあったのではないだろうか。

2　神の崇と陰陽師

最も恐ろしい病気

平安貴族が知る限りの最も恐ろしい病気は、前節に見た風病《ふびょう》をはじめとする普通の病気ではなく、神仏や霊鬼といった霊物《れいぶつ》の引き起こす病気であった。

平安時代中期の古記録《こきろく》に散見する風病という病気は、われわれの風邪《かぜ》とは異なり、しばしば患者を重篤《じゅうとく》に陥らせる危険な病気であった。たとえば、風病に罹《かか》ったとされる貴族女性が「御口鼻《おんくちはな》より血あえて、やがて消え入り給ひぬ」という最期《さいご》を迎えたことは、すでに前節で見た通りである（『栄花物語』巻第十六もとのしづく）。

しかし、当初は風病と見做された病気であっても、それが長期化したり重症化したりする場合、平安貴族はしばしばその病気が霊物を原因とするものである可能性を疑った。すなわち、平安貴族の理解によれば、長期化あるいは重症化する病気の多くは、風病のような普通の病気ではなく、神仏や霊鬼などの霊物の霊障《れいしょう》による病気だったのである。

前節で見たように、皇太后《こうたいごう》藤原妍子《きよこ》（「大宮の御前」）が「御面《おんおもて》赤み苦しうて、御足《みあし》たたかせて起き臥《ふ》させ給ふ」という症状を示したのは、『栄花物語』によると、風病を患ったためであった。そこで、妍子には朴《ほお》を投与するなどの治療が施されたのだが、それによって彼女の病状が快方に向かうことはなかった。そして、その報告を受けた関白藤原頼通《よりみち》が陰陽師の賀茂守道《もりみち》に卜占《ぼくせん》を行わせたところ、守道の卜占が指摘した妍子の病気の原因は、風病をもたらす風気《ふうき》ではなく、氏神《うじがみ》の祟《たたり》や土公神《つちぎみのかみ》の祟（「土《つち》の気《け》」）であったという。

○「御風にやとて朴などきこしめせど、おこたらせ給はず」と申させ給へば、「いと不便《ふびん》なる御事《おんこと》にこそ」とて、侍召《さぶらいめ》して、守道召しに遣《つかわ》すべき由仰《よしおお》せらる。さて参りたれば、かうかうおはします由を問はせ給へば、「御氏神の祟にや、土の気」など申せば、御前にて御祓仕《おんはらえつこ》うまつる。

（『栄花物語』巻第二十八わかみづ）

この章の冒頭に見た『占事略决《せんじりやくけつ》』から明らかなように、平安時代の陰陽師が卜占によって判じる病因のほとんどは、神仏や霊鬼などの霊物であった。したがって、右の事例における藤原頼通は、陰陽師の賀茂守道を喚《よ》んだ時点で、すでに藤原妍子の病気が霊物を原因とするものであることを危惧《きぐ》していたことになる。妍子の兄である頼通は、妹の長引く病臥《びようが》が霊物の仕業であることを懸念したからこそ、陰陽師に卜占を求めたのである。

その頼通は、これと同様の事例を患者として経験したこともあった。これも『栄花物語』の伝える話なのだが、まだ頼通が関白となる以前のこと、当初は風病と見做された頼通（大将殿）の病気は、朴や湯茹《ゆゆで》によって治るどころか、日増しに重くなる一方であり、ついには父親の藤原道長《みちなが》が賀茂光《みつ》栄《よし》・安倍吉平《よしひら》の二人の陰陽師を喚んで卜占を行わせたのである。そして、二人の陰陽師が卜占によって指摘した病因は、「もののけ」・神の祟（「神の気《かみけ》」）・呪詛《じゆそ》などであった。

○　かかる程に、如何《いかが》しけん、大将殿日来《ひごろ》御心地いと悩《なやま》しうおぼさる。「御風などにや」とて、御湯茹せさせ給ひ、朴きこしめし、（中略）、御心地さらにおこたらせ給ふさまならず、いとど重らせ給ふ。光栄・吉平など召して、物問はせ給ふ。御物《おんもの》のけや、又畏《かしこ》き神の気や、人の呪詛などさまざまに申せば、「神の気とあらば、御修法《みすほう》などあるべきにあらず。又御物のけなどあるに、まかせたらんもいと恐《おそろ》し」など、さまざまおぼし乱るる程に、ただ御《おん》祭《まつり》・祓《はらえ》などぞ頻《しきり》なる。

（『栄花物語』巻第十二たまのむらぎく）

この事例においても、陰陽師に卜占を行わせた藤原道長は、もはや息子の病気が風病であるとは思っていなかっただろう。道長に召喚された陰陽師両名の卜占によれば、藤原頼通の病気は「もののけ」の類であったが、道長はこのような結果になることを覚悟したうえで陰陽師を呼び出したはずである。長引いたり重くなったりする病気の多くは、平安貴族の理解において、風病のような普通の病気ではなく、神仏や霊鬼が引き起こす「もののけ」だったのである。そして、そうした病気こそが、平安貴族にとっての最も恐ろしい病気であった。

祟をもたらす神々

清少納言《せいしょうなごん》の『枕草子《まくらのそうし》』に「病《やまい》は胸。もののけ。あしのけ」と見える「もののけ」は、神仏や霊鬼といった霊物《れいぶつ》によって引き起こされる病気に他ならない。病気というかたちで顕《あらわ》れた霊障《れいしょう》を、平安貴族は「もののけ」と呼んだのである。

そして、『栄花物語』によれば、東三条院《ひがしさんじょういん》藤原詮子《あきこ》を悩ませた「もののけ」の原因の一つは、角《すみ》振神《ふりのかみ》の祟《たたり》あるいは隼《はやぶさのかみ》神の祟であった。そのころの詮子は東三条第を居所としていたが、同第の敷地の西北の隅《すみ》に祀《まつ》られていた神々（「三条院の角《すみ》の神」）が角振神および隼神である。そして、そのいずれか——両方ともということも考えられる——の祟が、「もののけ」として詮子を苦しめたというのである。

○御《おん》もののけを四五人に駆《か》り移《うつ》しつつ、おのおの僧どものゝしりあへるに、この三条院の角の神の祟といふ事さへ出《い》で来て、そのけしきいみじうあやにくげなり。

（『栄花物語』巻第七とりべ野）

霊物が引き起こす病気を「もののけ」と呼ぶ平安貴族は、「もののけ」という病気の原因となった霊物そのものをも「もののけ」と呼んだが、右に引いた『栄花物語』の「御もののけを四五人に駆り移しつつ、おのおの僧どものゝしりあへる」という一節は、騒がしく加持《かじ》を行う験者《げんざ》（「僧ども」）が病気の原因である霊物（「御もののけ」）を病人の身体から依坐《よりまし》の身体へと移したことを意味する。そして、平安貴族の理解では、験者の加持に負けて依坐の身体に移された霊物は依坐の口を借りて自らの正体を明かすことになっていたのであり、右の『栄花物語』には、こうした次第で角振神の祟あるいは隼神の祟が判明したことが語られているのである。

また、同じ『栄花物語』には、藤原頼通の患う「もののけ」が貴布祢明神《きぶねみようじん》の祟を原因とするものであったという話も見える。すなわち、数日にわたって頼通を病臥《びようが》させた霊物（「この日来《ひごろ》悩《なやま》し奉《たてまつ》りつる物のけ」）が、ついには験者の加持に負けて頼通の身体から依坐の身体へと移され、依坐の口を通じて自身が貴布祢明神（貴船）であることを明かしたというのである。

○かくて一七日過ぎぬ。いま七日延《の》べさせ給へるに、こたびぞいとけ恐しげなる声したるもののけ出《い》で来たる。「これぞこの日来悩し奉りつる物のけなめり」とて、鳴りかかりて加持しののしりて、かり移したるけはひ、いとうたてあり。「いかにいかに」とおぼす程に、はや貴船《きぶね》の現れ給へるなりけり。

（『栄花物語』巻第十二たまのむらぎく）

これらの事例におけるように神の祟が「もののけ」という病気の原因となることは、平安貴族にとって、それほど珍しいことではなかった。その証拠に、平安時代中期の古記録《こきろく》には、さまざまな神々の霊障（＝祟）が病気というかたちで顕《あらわ》れた事例が散見する。当時の古記録によれば、前章にて祟の多いことを紹介した竈《かまど》神《がみ》や土公神《つちぎみのかみ》などの身近な神々の他、稲荷《いなり》・宇佐《うさ》・日吉《ひえ》・春日《かすが》・貴布祢といった大社の神々までが、しばしば平安貴族を苦しめる「もののけ」の原因となっていたのである（表6）。

表6　病気の原因となった神々

稲荷社	『貞信公記』延喜19年11月9日条 『小右記』寛仁3年3月18日条
宇佐宮	『小右記』寛弘2年正月16日条
日吉社	『小右記』長和元年6月4日条
春日社	『小右記』長和4年6月20日条 『小右記』長和4年9月28日条
貴布祢社	『小右記』寛仁2年6月24日条 『小右記』寛仁3年3月18日条
竈神	『御堂関白記』長和2年4月11日条 『御堂関白記』長和2年6月8日条 『小右記』長和3年3月24日条 『小右記』万寿4年3月5日条 『小右記』長元元年9月28日条 『小右記』長元4年7月5日条
土公神	『小右記』長和3年3月24日条 『小右記』万寿4年6月5日条 『小右記』長元4年7月5日条

このうちの竈神および土公神の名は、本章の冒頭に見た安倍晴明の『占事略決《せんじりやくけつ》』にも、病因の候補として挙げられている（表3）。おそらく、平安貴族の理解するところでは、竈神の祟や土公神の祟が発生した場合、それらは病気というかたちで顕れるものだったのだろう。

また、『占事略決』が病因候補の一つに数える「社神《やしろのかみ》」は、稲荷・宇佐・日吉・春日・貴布祢のような大社の神々であろうか。そうだとすれば、諸社の神々の祟によって引き起こされる病気も、平安貴族にとっては馴染《なじ》みのものだったことになる。さらに、『占事略決』は「氏神《うじがみ》」をも病因の候補として扱うが、藤原氏の氏社であった春日社の神などがこれに該当するものと思われる。

ただ、「大歳神《おおとしがみ》」「水神《みずのかみ》」「水上神《みなものかみ》」「山神《やまのかみ》」「道路神《みちのかみ》」「廃竈神《すたれかまどがみ》」「馬祠神《うまのほこらのかみ》」「儛神《まいのかみ》」などは、『占事略決』が病気の候補に挙げるものの、平安時代中期の古記録に見る限り、その祟が病気の原因となったことはなかった。あるいは、これら諸神は陰陽師の知識の中にのみ存在する神格だったのかもしれない。また、『占事略決』に病因候補の一つとして見える「形像《かたしろ》」は、多武峰《とうのみね》に安置されていた藤原鎌足《ふじわらのかまたり》像のような人物などの像のことであろうが、そうしたものが祟によって人々に病気をもたらしたという事例も、当時の古記録からは見出すことができない。

神の祟と陰陽師の呪術

験者《げんざ》の加持《かじ》によって、あるいは、陰陽師の卜占《ぼくせん》によって、病気の原因が神の祟《たたり》であることが判明した場合、平安貴族が病気の治療を任せたのは、医療を扱う医師でもなければ、加持や修法《すほう》によって仏の力を操る験者でもなく、祭《まつり》や禊 祓《みそぎはらえ》といった呪術を行う陰陽師であった。

たとえば、すでに前々項でも紹介した皇太后《こうたいごう》藤原妍子《きよこ》の病悩に際しては、「御前にて御祓仕《おんはらえつこ》うまつる」と見えるごとく（『栄花物語』巻第二十八わかみづ）、治療のために陰陽師が禊祓を行ったが、それは、陰陽師の賀茂守道《もりみち》が卜占によって氏神《うじがみ》の祟（「御氏神の祟」）や土公神《つちぎみのかみ》の祟（「土《つち》の気《け》」）を病因として特定したからに他ならない。『栄花物語』によれば、この病気は最初は風病《ふびょう》と見做され、その治療のために初期には医師の指導する朴《ほお》の投与が行われたものの、陰陽師の卜占が神の祟を病因とするに及び、陰陽師の禊祓による治療が開始されたのである。ここで禊祓を行った陰陽師は、おそらく、卜占によって神の祟が病因であることを突き止めた賀茂守道であろう。

また、これも前々項において『栄花物語』に見えることを紹介した事例になるが、藤原頼通《よりみち》が数日にわたって病臥《びょうが》した際には、その病気が風病と見做された当初、朴や湯茹《ゆゆで》などの医師の関与する治療が行われたものの、数日後に陰陽師の卜占によって神の祟（「神《かみ》の気《け》」）が病気の原因である可能性が指摘されるや、それまでの医師の医療による治療に代えて、祭や禊祓のような陰陽師の呪術による治療が行われるようになったのである（『栄花物語』巻第十二たまのむらぎく）。ここで卜占によって神の祟の可能性を指摘した陰陽師は賀茂光栄《みつよし》および安倍吉平《よしひら》であったというから、やはり、治療のための祭や禊祓を行ったのも光栄・吉平の二人であったろう。

なお、このときに頼通の父親である藤原道長《みちなが》が息子の病気を治す手段として加持や修法のような験者の呪術を選ばなかったのは、『栄花物語』によれば、「神《かみ》の気《け》とあらば、御修法《みずほう》などあるべきにあらず」と考えたためであった。平安貴族の理解では、病気の原因が神仏や霊鬼などの霊物にある場合、その治療は医師の医療では難しく、験者の加持・修法や陰陽師の祭・禊祓のような呪術こそが有効な治療手段とされたが、さらに、病因である霊物が神である場合には、仏の力に頼る験者の呪術を治療手段として用いるわけにはいかなかった。平安貴族の間では、神は仏を嫌うという上代以来の伝統的な神仏観が共有されていたのである。

そして、平安貴族が陰陽師の呪術を神の祟に対処する手段と見做していたことは、当然、平安時代中期の古記録からもうかがい知ることができる。たとえば、次に引く『小右記《しょうゆうき》』によれば、長元四年（一〇三一）の七月に上東門院《じょうとうもんいん》藤原彰子《あきこ》（「女院《にょいん》」）が腰病を患った折、陰陽師の中原恒盛《つねもり》は、卜占によって竈神《かまどがみ》の祟や土公神《つちぎみのかみ》の祟が病因であることを突き止め、かつ、二度の禊祓を行っている。

○恒盛の云《い》ふやう、「今旦《こんたん》、召《め》しに依《よ》りて女院に参るに、俄《にわか》に御腰《おんこし》を悩み御《おわ》す。御竈神・土公の祟の由《よし》を占ひ申す。御竈の前に於《お》いて御祓《おんはらえ》を奉仕す。二《に》个度《かど》なり。宜《よろ》しく御坐《おわ》す由を承る」と。

（『小右記』長元四年七月五日条）

この事例では、二度の禊祓を行った後、恒盛は藤原彰子より「宜しく御坐す由」を伝えられたという。つまり、患者である彰子自身が、禊祓によって病気が治ったことを感じたというのである。そして、この事例からも明らかなように、平安貴族が陰陽師に期待した役割の一つは、間違いなく、呪術による神の祟の除去であった。

祟の根本的な除去

ところが、病気の原因が神の祟《たたり》にある場合、祭《まつり》や禊祓《みそぎはらえ》といった陰陽師の呪術で祟を除去したとしても、それで病気が根治するとは限らなかった。平安貴族の理解するところ、陰陽師の呪術による祟の除去は、一時的な措置でしかないこともあり、必ずしも神の祟を根本的に解消するものではなかったのである。

藤原道長《みちなが》の『御堂関白記《みどうかんぱくき》』によると、長和二年(一〇一三)の四月、竈神《かまどがみ》の祟を原因とする病気を患っていた道長は、陰陽師の安倍吉平《よしひら》に禊祓(解除《げじょ》)を行わせている。これが竈神の祟を除去するための禊祓であったことは言うまでもない。

○悩《なや》む事は猶《な》ほ例《れい》に非ず。(中略)。吉平を以《もっ》て解除せしむ。竈神の祟なるに依《よ》る也《なり》。

(『御堂関白記』長和二年四月十一日条)

だが、これによって道長が竈神の祟から完全に解放されたわけではなかった。『御堂関白記』によれば、右の禊祓よりおよそ二ヵ月の後にも、道長は依然として竈神の祟を原因とする病気を患っていたのである。

○小南《こみなみ》に行く。還《かえ》り来たる間、□□を見るに、竈神の御屋《おんや》に水入り来たる。悩む所有るに竈神の崇を占ふ。仍《よ》りて解除幷《なら》びに修補をせしむ。

（『御堂関白記』長和二年六月八日条）

ただ、この記事を最後として、『御堂関白記』には竈神の祟のことが記されなくなる。どうやら、これ以降、道長は竈神の祟から解放されたようなのである。

では、このときの藤原道長は、どのようにして竈神の祟を解決したのだろうか。最後に引用した『御堂関白記』の記事によれば、自邸の敷地内を移動していた道長は、折よく竈神の祠《ほこら》が破損しているのを発見することになった。そのため、竈神の祟に苦しんでいた道長は、急遽、禊祓（解除）を行わせるとともに、竈神の祠が修理されるように手筈《てはず》を整えている。そして、道長が竈神の祟の解消に成功したのは、偶然に発見した竈神の祠の破損を補修したためであったらしい。

結局、竈神が道長に祟をもたらしたのは、自身の鎮座する祠を補修させたいがためであった。竈神は祟をもたらすことによって自身の要求に気づかせようとしたのである。それゆえ、竈神の要求する祠の修理が行われない限りは、陰陽師の禊祓がいくら繰り返されようとも、道長が祟から完全に解放されることはなかった。そして、求められていることに気づいた道長が祠の補修を行うや、竈神が道長に祟をもたらす理由はなくなり、今回の祟は無事に解決した――当事者の藤原道長を含む平安貴族は、道長を苦しめた竈神の祟について、このように理解したのではないだろうか。

おそらく、平安貴族の知る神々は、特定の人間に何かを要求する場合、その人間に祟をもたらすことで自身の要求に気づかせようとすることがあったのだろう。平安貴族の理解する神の祟は、どうやら、神が人間へと要求を伝える手段の一つだったようである。そして、こうした点にこそ、平安貴族にとっての神の祟の本質があるように思われる。

とすれば、平安貴族にとっては、神が祟によって伝えようとしている要求に従うことこそが、神の祟を原因とする病気を完全に治すことのできる唯一の方法であったろう。

神の祟と陰陽師の卜占

こうした推測に裏づけを与えてくれるのが、次に引く『小右記《しょうゆうき》』の一連の記事に見える三条天皇の病気の事例である。

長和四年（一〇一五）の六月のこと、それ以前より続いていた三条天皇の病気について占った陰陽師の安倍吉平《よしひら》は、その原因の一つが南東の方角の神社（「巽方神社《たつみのかたのじんじゃ》」）に鎮座する神の祟《たたり》にあることを指摘した。当時の古記録《こきろく》において「もののけ」は「邪気《じゃけ》」と表記されることが多かったが、吉平の最初の卜占《ぼくせん》では曖昧に「邪気」と判ぜられるのみであった病因も、二度目以降の卜占ではより明確に「巽方神社」と判ぜられたのである。

○吉平の占ひ申して云《い》ふやう、「疫鬼《えきき》・御邪気《おんじゃけ》の祟を為《な》すなり」てへり。

○御熱気已《すで》に散《ち》る。殊《こと》の事には御坐《おわ》さず。占ひ申して云ふやう、「鬼気《きき》の上、巽方神社の祟を加ふるか」てへり。仍《よ》りて御秡《おんはらえ》の事有り。

（『小右記』長和四年六月十九日条）

ところが、吉平の卜占の結果を受けて祟を除去するためにとられた措置は、わずかに禊祓（御秡）――これを行ったのは吉平であろう――だけであった。祟に込められた神の要求に従うことはおろか、祟をもたらしたとされる「巽方神社」を特定することさえも、この時点ではまったく顧慮されなかったようなのである。

（『小右記』長和四年六月二十日条）

そして、それから三ヵ月を経た同年の九月、三条天皇の病気の原因としてふたたび「巽方神社」の神の祟が問題となった。このころ、三条天皇はしばしば眼が見えなくなるという病状に悩まされていたが、その病気の原因を占った安倍吉平は、病因として「巽《たつみのかたのおおがみ》方大神」の祟を指摘したのである。

○頭中将《とうのちゅうじょう》の云ふやう、「主上《しゅじょう》の御目は未《いま》だ減気《げんき》に御《お》さず。吉平朝臣の占ひ申して云ふやう、『旧《ふる》き御願《ごがん》を未だ果たし奉《たてまつ》り給はざるに依りて、巽方大神の祟《たた》るか』と。仍りて宰相を差《や》りて春日《かすが》に奉らるべし」てへり。

（『小右記』長和四年九月二十八日条）

このたびの吉平の卜占は、病気の原因が「巽方大神」の祟であることの他、その「巽方大神」が三条天皇に祟をもたらした事情をも明らかにした。吉平の卜占によれば、三条天皇が以前に立てた願を果たしていないことが、今回の祟を引き起こしたのであった。ここでの「巽方大神」の祟は、三条天皇に約束の履行を求めるものだったのである。

ここまでの事情が明らかになったところで、これまで有効な手立てを講じることのなかった朝廷も、ついに春日社《かすがしゃ》に使者を派遣することを決めた。すなわち、春日明神《かすがみょうじん》こそを「巽方大神」と見做したうえで、その春日明神に三条天皇の約束不履行を謝罪しようとしたのである。禊祓だけで済ませようとするのに比べれば、祟を根本的に解決しようとする意図のうかがえる対処の仕方であろう。

そして、春日社への使者に選ばれたのは参議《さんぎ》の藤原朝経《あさつね》であったが、次に引く『小右記』によれば、朝経に与えられた使命は、三条天皇がいまだ春日社への参詣《さんけい》（行幸《ぎょうこう》）を果たしていないことについて、春日明神に懇切に謝罪することにあった。つまり、その不履行によって三条天皇が春日明神の祟を受けることになった「旧き御願」というのは、具体的には春日社への行幸だったのである。

○春日の御祈《おんいの》りの使は参議朝経右大弁なり。（中略）。旧き御願の祟の由を占ひ申すに依りて立てらるるの使也。行幸は未だ遂《と》げ給はず。是《これ》は御目の事に依るなり。其の由、殊に祈り申さるべき也。

（『小右記』長和四年十月二日条）

したがって、春日明神が三条天皇にもたらした祟を根本的に除去するには、三条天皇の春日社行幸を実現させるしかなかった。ただ、このころの三条天皇は慢性的な疾患に苦しんでおり、行幸の実現はきわめて困難であった。そのため、春日明神に対してせめてもの誠意を見せるべく、朝廷は公卿《くぎょう》に列する朝経を春日社に派遣したのである。そして、これ以降、三条天皇の病気に関して春日明神の祟が取り沙汰されることはなくなるのであった。

さて、このように、平安貴族の理解によれば、神が祟を通じて伝えてきた要求に従おうとしない限り、神の祟を根本的に除去することは困難であった。平安貴族にしてみれば、祟に込められた神の要求に素直に従うことだけが、神の祟を原因とする病気を根治する方法だったのである。

そして、そうしたかたちで神の祟を除去しようとする場合、当然、神が何を要求しているのかを正確に把握する必要があるわけだが、そこでしばしば決定的に重要な意味を持つことになったのが陰陽師の卜占であった。右に見た三条天皇の病気をめぐる事例においてそうであったように、平安貴族はしばしば陰陽師の卜占によって祟に込められた神の要求を知ることができたのである。

3　仏の祟と陰陽師

仏の祟

本章の冒頭で紹介した安倍晴明の『占《せん》事略《じりゃく》決《けつ》』が病気の原因の一つに数えたように（表3）、平安貴族の理解するところでは、仏の教えである「仏法《ぶっぽう》」までもが、人々に病気をもたらすことがあった。

また、『占事略決』は「北辰《ほくしん》」というものを病因候補の一つに挙げているが、「北辰」というのは妙《みょう》見菩薩《けんぼさつ》という仏の別名であり、『小右記《しょうゆうき》』『権記《ごんき》』といった平安時代中期の古記録《こきろく》によれば、平安貴族は確かに妙見菩薩の祟《たたり》による病気を経験している。さらに、藤原実資《さねすけ》の『小右記』には、聖天《しょうてん》（歓喜天《かんぎてん》）という仏の祟や金峰山寺《きんぶせんじ》の仏の祟が病気をもたらしたことまでが記録されている（表7）。

　このように、平安貴族が病気の原因として理解していたものの一つには、仏の祟というものがあったようである。どうやら、平安貴族にとっては、仏もまた、神と同様、人々に祟をもたらす存在であったらしい。

表7　病気の原因となった仏の類

妙見菩薩	『権記』長保元年12月9日条 『小右記』長和3年3月24日条
聖天	『小右記』長和4年5月27日条
金峰山寺	『小右記』寛仁2年6月23日条

　だが、この事実は、われわれに小さからぬ違和感を抱かせることになるのではないだろうか。

　山折哲雄《やまおりてつお》氏の『神と仏——日本人の宗教観——』が神と仏との関係を「『祟《たた》る神』と『鎮《しず》める仏』という対抗の関係」として捉えるように、われわれ現代日本人の一般的な理解からすると、人々に祟をもたらすのは、神であって仏ではないだろう。そして、現代の日本において、仏は人々に救済をもたらす存在として理解されているように思われる。それゆえ、仏の祟というものが、現代人には少なからず奇異に感じられてしまうことが予想されるのである。

　もちろん、平安貴族にとっても、神は人々に祟をもたらす存在であった。前節に見たように、平安貴族は神の祟を原因とする病気を頻繁に経験していたのである。そのため、前章に詳しく述べたように、日常生活を送る中でも、平安貴族は神の祟に対する警戒を怠ることがなかった。

　また、平安貴族が仏に救いを求めていたことも間違いない。『扶桑略記《ふそうりゃくき》』という史書が寛和《かんな》元年（九八五）の四月のこととして「天台沙門源信《てんだいしゃもんげんしん》の往生要集《おうじょうようしゅう》を撰《せん》するに、天下に流布《るふ》す」と伝えるように、恵心僧都《えしんそうず》源信の著した『往生要集』は平安貴族の間で高い評価を得たが、この『往生要集』の説くところは仏法による救済の偉大さであった。平安貴族にとっても、われわれ現代人にとってと同様、仏は人々に救いをもたらすはずの存在だったのである。

　ところが、その一方で、平安貴族にとっての仏は、神と同じく、人々に祟をもたらす恐るべき存在でもあった。しかも、平安貴族の理解によれば、仏の祟は人々を即座に死に至らしめるほどに強力なものでさえあった。その点は、次に引く『左経記《さけいき》』に明らかであろう。

○伝へ聞く。一日、本堂の東なる堂の北面に、大炊頭為職朝臣《おおいのかみためもとあそん》の小舎人童《ことねりわらわ》の昼寝す。其《そ》の容《さま》は已《すで》に死人の如《ごと》し。忽《たちま》ち舁《か》かしめて宅より出《い》だすの後、幾《いく》らもせずして死ぬと云々《うんぬん》。或《ある》人の云《い》ふやう、「件《くだん》の童は堂中に於《お》いて女犯《にょはん》すと云々」と。仍《よ》りて此《こ》の禍《わざわ》ひに係《かか》るかと云々。

（『左経記』寛仁二年閏四月二十八日条）

ここで仏の祟によって急死したのは藤原為職の従者《じゅうしゃ》（小舎人童）であるが、この従者が仏の祟を受けることになったのは、右に引いた『左経記』によれば、法性寺《ほっしょうじ》という寺院に所属する仏堂の一つにおいて女性との性交（「女犯」）に及んだためであった。男女の性交は古来より仏法の重く戒《いまし》めてきたところであり、それゆえ、平安貴族にしてみれば、仏の居所である寺院において性交を行った者が仏の祟を受けるというのは、極めて当然のことであったに違いない。

仏による「もののけ」

長和四年（一〇一五）の五月、しばしば眼が見えなくなるという病状に悩まされていた三条天皇のために心誉《しんよ》という験者《げんざ》が加持《かじ》を行ったところ、にわかに聖天《しょうてん》という仏が顕《あらわ》れることがあった。藤原実資《さねすけ》の『小右記《しょうゆうき》』が次のように伝えるごとくである。

○御目《おんめ》は昨日は已《すで》に尋常《じんじょう》の如《ごと》し。此《こ》の臨昏《りんこう》は亦俄《またにわか》に御覧《ごらん》ぜず。心誉を召《め》して御加持《おんかじ》を奉《たてまつ》らしむるに、聖天の顕れて云ふやう、（後略）

（『小右記』長和四年五月二十七日条）

とはいえ、もちろんのこと、聖天そのものが人々の前に姿を見せたというわけではない。おそらくは、聖天が憑依《ひょうい》したとされる依坐《よりまし》が、自らを聖天と名乗ったのであろう。すなわち、平安貴族の理解するところ、三条天皇の眼病は聖天という霊物《れいぶつ》による「もののけ」だったのであり、その聖天が験者の加持に負けて三条天皇の身体から依坐の身体へと移されて自らの正体を明かしたのであった。

そして、この事例に明らかなように、平安貴族が「もののけ」と呼んだ病気は、仏の類《たぐい》によっても引き起こされることがあった。平安貴族にとっての仏は、人々に救済をもたらすばかりではなく、ときには祟をもたらすこともあり、「もののけ」の原因となることもあったのである。

では、なぜ三条天皇は聖天を原因とする「もののけ」に苦しまなければならなかったのだろうか。あるいは、どうして仏の類が天皇に祟をもたらすことになったのだろうか。

その答えは、聖天自身によって語られた言葉から知ることができるだろう。右に引いた『小右記』の続きの部分には、三条天皇を苦しめた聖天が依坐の口を借りて語ったとされる言葉が、次のごとくに書き留められているのである。

○聖天の顕れて云ふやう、「(中略)、但《ただ》し聖天供《しょうてんく》の事、儲弐《ちょじ》の時、厳に供《く》に預《あず》からんことを教ふるに、登極《とうごく》の日より已《すで》に供養《くよう》無《な》し。之《これ》に因《よ》りて祟を成し致し奉る所也《なり》。又謝して供養せらるれば自《おの》づから平復《へいふく》し御《おわ》すか」と。

(『小右記』長和四年五月二十七日条)

ここで聖天が語ったとされる言葉によれば、三条天皇が聖天の祟を受けることになったのは、即位(「登極」)して以来、一度も聖天の供養を行っていなかったためであった。どうやら、まだ皇太子の地位にあったとき(「儲弐の時」)より、三条天皇は聖天を本尊としていたらしいのだが、寛弘八年(一〇一一)の六月に帝位に即《つ》いてから実に四年近くもの間、三条天皇は聖天の供養を怠っていたようなのである。したがって、平安貴族の理解において、聖天が三条天皇に祟をもたらしたのは、供養を行うようにとの要求を三条天皇に伝えるためであったろう。

さて、この事例から明らかなように、平安貴族の理解によれば、その本質において、仏の祟と神の祟との間に大きな差はない。仏の祟にしても、神の祟にしても、要は、人間に何らかの要求を伝える手段であることを本質としていたのである。

そして、それゆえに、仏の祟を根本的に除去しようとする場合にも、平安貴族は祟に込められた仏の要求に従うしかなかった。現に、右の事例においても、『小右記』によれば、三条天皇に祟をもたらしている聖天の要求が判明するや、ただちに聖天供が行われるように手配が為されたのであった。

仏の祟と陰陽師の卜占

長和《ちょうわ》三年（一〇一四）の三月、藤原実資《さねすけ》は朝廷の行う仁王会《にんのうえ》への参会《さんえ》も困難なほどに体調を崩していた。そして、陰陽師の賀茂光栄《みつよし》が占ったところ、その原因は「北君《きたぎみ》・土公《つちぎみ》・竈神《かまどがみ》の祟《たたり》」にあったという。次に引く『小右記《しょうゆうき》』に見える通りである。

○今日は参入せざるの事、資平《すけひら》を以《もっ》て頭弁《とうのべん》に触《ふ》れしむ。心神の宜《よろ》しからざる也《なり》。夜々に汗の出《い》づることの例《れい》ならざるの故《ゆえ》也。光栄をして占はしむるに、占ひて云《い》ふやう、「北君・土公・竈神の祟なり」てへり。

（『小右記』長和三年三月二十四日条）

ここに「北君」と呼ばれているのは、安倍晴明の『占事略決《せんじりやくけつ》』が「北辰《ほくしん》」の名称で病因候補の一つに数える妙見菩薩《みようけんぼさつ》である（表3）。北極星《ほっきょくせい》や北斗七星《ほくとしちせい》に由来する仏である妙見菩薩を、平安貴族は「北辰」とも「北君」とも呼んだのである。そして、右の事例において陰陽師の卜占《ぼくせん》が病気の原因と判じたものの一つは、妙見菩薩という仏によってもたらされた祟であった。

ところで、平安貴族の理解するところでは、仏が祟を通じて伝えてきた要求に従わない限り、仏の祟を根本的に除去することはできなかった。したがって、平安貴族にしてみれば、仏の祟を原因とする病気を患った場合、その祟に込められた仏の要求に素直に従うしかなかった。

そして、そうしたかたちで仏の祟を除去しようとすると、当然、どの仏が何を要求しているのかを正確に把握する必要があり、それゆえ、しばしば陰陽師の卜占が特別な意味を持つことになった。というのは、平安時代中期の古記録《こきろく》には、病気の原因である祟をもたらす仏が陰陽師の卜占によって特定された事例も見られるからである。

たとえば、次に引く『権記《ごんき》』に見える事例などは、その好例であろう。すなわち、長保元年（九九九）の十二月のこと、一条天皇が妙見菩薩の祟によって眼病を患った折には、この祟を除去するために北山《きたやま》の霊巌寺《りようがんじ》にある妙見堂《みようけんどう》の修理が行われたが、妙見菩薩の祟を指摘したのは、縣奉平《あがたのともひら》という陰陽師の卜占であった。

○召《め》し有りて御前に参るに、仰《おお》せて云《い》ふやう、「昨より御目《おんめ》を悩《なや》み給ふに、奉平の妙見の祟を成すことを占ひ申せば、早く使を霊巌寺に遣《や》りて、妙見堂を実検《じっけん》せしめん」と。即《すなわ》ち蔵人泰通《くろうどやすみち》に仰せて、出納為孝《すいとうためたか》を差《さ》し遣る。（中略）此《こ》の間、為孝の帰り来たる。申して云ふやう、「妙見堂の上の檜皮《ひわだ》等の破損す。只《ただ》九間の壁有るのみ」と。即ち之《これ》を奏《そう》す。仰せて云ふやう、「早く左大臣に仰せて、所司幷《なら》びに国司等に仰せしめて修理せしむべし」と。

（『権記』長保元年十二月九日条）

ここで祟を除去するために妙見堂の修理が行われたのは、妙見菩薩の祟を指摘する奉平の卜占を受けて霊巌寺に実検使が派遣されたところ、妙見堂の激しい破損が報告されたためであった。つまり、一条天皇や藤原行成《ゆきなり》を含む平安貴族は、妙見菩薩の祟を指摘する陰陽師の卜占と妙見堂の破損という事実とを結びつけて、妙見菩薩が妙見堂の補修を要求して一条天皇に祟をもたらしたと理解したのである。

管見《かんけん》の限り、病気の原因である祟が仏の類《たぐい》によってもたらされた場合に、陰陽師が祭《まつり》や禊祓《みそぎはらえ》などの呪術によって祟を除去しようとしたことはない。平安貴族の理解において、一時的にでも神の祟に対しては有効な対抗手段であった陰陽師の呪術も、仏の祟に対処できるものではなかったのであろう。

そして、仏の祟による病気が発生したとき、平安貴族が陰陽師に期待したのは、卜占によって祟をもたらす仏を特定する役割だけであった。だが、この役割は、平安貴族が仏の祟を根本的に除去するうえで、非常に重要な意味を持っていたのである。

4　霊鬼と陰陽師

鬼を見る陰陽師

安倍晴明という陰陽師は、まだ陰陽師となる以前の幼いころから、その眼で鬼の姿を見ることができたという。真偽のほどは確かめようもないが、『今昔物語集《こんじやくものがたりしゅう》』巻第二十四第十六の「安倍晴明、忠行《ただゆき》ニ随《したが》ヒテ道《みち》ヲ習フ語《こと》」という話の伝えるところであり、これは晴明に関する逸話の中でも今や最もよく知られたものの一つになっているのではないだろうか。

そして、『今昔物語集』巻第二十四第十五の「賀茂忠行《かものただゆき》、道ヲ子ノ保憲《やすのり》ニ伝《つた》フル語」という話によれば、賀茂保憲《やすのり》という陰陽師もまた、陰陽師となる以前の幼いころより、鬼を見る能力を持っていた。その保憲の才能に最初に気づいたのは父親の賀茂忠行だが、自身も優れた陰陽師であったという忠行から見ても、この保憲の能力は特異なものであったらしい。『今昔物語集』の語るところでは、息子の異才を目《ま》の当たりにした忠行は、次のように思いを回《めぐ》らすのである。

○我レコソ此《こ》ノ道《みち》ニ取リテ世ニ勝《すぐ》レタル者ナレ。然《しか》レドモ幼童《ちご》ノ時ニハ此《か》ク鬼神《きじん》ヲ見ル事ハ無カリキ。物習ヒテコソ漸《ようや》ク目ニハ見シカ。其《そ》レニ、此《こ》レハ此《か》ク幼キ目ニ此《こ》ノ鬼神ヲ見ルハ、極《きわ》メテ止《や》ム事《ごと》無キ者ニ成ルベキ者ニコソ有リヌレ。世モ神ノ御代《みよ》ノ者ニモ劣ルマジ。

（『今昔物語集』巻第二十四第十五語）

賀茂忠行には陰陽師として「世ニ勝レタル者」であるとの自負があったが、その忠行でさえ幼いころには鬼を見ることはできなかった。彼が鬼の姿を見る能力を身につけたのは、陰陽師としての修業を積んだ末だったのである。それゆえ、幼くして何の修業もなしに鬼を見た保憲に対して、忠行は大きな期待を抱くことになる。この息子は必ずや神代《かみよ》の名人（「神ノ御代ノ者」）にも劣らない優れた陰陽師に成長するに違いない、と。

さて、これらの逸話からうかがわれるように、平安時代の人々が共有していた一般的な理解においては、鬼というのは姿の見えない存在であり、それゆえ、そうした鬼の存在を感知するには特殊な能力が必要であったが、当然、それは優秀な陰陽師には備わっているべき能力であった。

平安貴族が鬼を姿の見えない存在として理解していたことは、『和名類聚抄《わみようるいじゆしよう》』における鬼についての解説からもうかがうことができよう。『和名類聚抄』というのは十世紀に源順《したごう》によって編纂された辞書であるが、その古辞書によれば、「鬼《おに》」という名称は「隠《おん》」の転訛《てんか》したものであり、姿を隠すことこそが鬼の本質であった。平安貴族の理解する鬼は、人間の眼から姿を隠すことのできる存在だったのである。

また、眼には見えないはずの鬼を感知する特殊な能力は、賀茂保憲や安倍晴明が活躍した平安時代中期よりも以前から、人々が陰陽師に期待する能力の一つとなっていたらしい。たとえば、宇多《うだ》天皇が寛平《かんぴょう》元年（八八九）の正月に太政大臣藤原基経《もとつね》から聞いた昔話によれば、かつて文徳《もんとく》天皇が重用した陰陽師の一人は、鬼を見ることのできる陰陽師であった。詳細はよくわからないが、天安二年（八五八）の八月に文徳天皇が没した折、その陰陽師は鬼を見て逃亡してしまったという（『宇多天皇御記』寛平元年正月十八日条）。

もちろん、「鬼を見る」というのは、ある種の比喩《ひゆ》である。確かに、平安貴族は陰陽師に対して鬼を感知する能力を期待していた。だが、平安時代中期の古記録《こきろく》に見る限り、当時において高く評価されていた陰陽師であっても、鬼の存在を感知するのは卜占《ぼくせん》によってであった。平安貴族が陰陽師に期待した鬼の感知は、説話に語られるような目視によるものではなく、卜占によるものだったのである。陰陽師が備えるべき鬼を感知する能力というのは、要は、卜占によって鬼を見つけ出す能力であった。

そして、平安貴族の日常生活において、陰陽師による鬼の感知が最も大きな意味を持ったのは、人々が誰かの病気の原因を知ろうとしたときであった。平安貴族にとっての鬼は、病気の原因の有力な候補の一つだったのである。そのことは、安倍晴明の『占事略决《せんじりゃくけつ》』が十一種類もの鬼を病因候補に挙げていることからも、十分にうかがい知ることができるだろう（表3）。

鬼による「もののけ」

長保元年（九九九）の九月のこと、藤原実資《さねすけ》は夜になってにわかに「身熱くして辛《つら》く苦し」という症状に襲われた。『小右記《しょうゆうき》』によれば、それを風病《ふびょう》（「風痾《ふうあ》」）と見た実資は翌朝早くに湯茹《ゆゆで》（「沐浴」）による治療を試みるが、その翌々日に陰陽師の賀茂光栄《みつよし》が占ったところ、実資の病気は鬼による「もののけ」であった。光栄の卜占《ぼくせん》によって判明した病気の原因は、「求食鬼《ぐしょくき》」という鬼だったのである。

○昨酉剋許《とりのときばかり》より心神亦《また》乱る。身熱くして辛く苦し。風痾の疑ひ有るに依《よ》りて、早旦《そうたん》に沐浴す。

（『小右記』長保元年九月十四日条）

○悩む所は暁《あかつき》より頗《すこぶ》る宜《よろ》し。光栄朝臣を以《もっ》て占勘《せんかん》せしむるに、云《い》ふやう、「求食鬼の致す所也《なり》」てへり。仍《よ》りて今夜に鬼気祭《ききさい》を行はしむ。

（『小右記』長保元年九月十六日条）

ここに登場する「求食鬼」は、安倍晴明が『占《せん》事略決《じりゃくけつ》』に列挙した病因候補の一つである（表3）。これがどのような鬼であるのかはよくわからないが、『占事略決』に病因候補として挙げられているように、また、現に右の『小右記』に見えるような事例があったように、平安貴族の間では病気の原因としてよく知られた鬼だったのかもしれない。

そして、右の『小右記』の事例では、求食鬼のもたらした病気を治すため、「鬼気祭」という呪術が行われている。平安時代中期の古記録《こきろく》に散見する鬼気祭は、陰陽師が頻繁に行った呪術の一つであり、鬼の害を除くためのものであった。とすれば、右の事例において鬼気祭を行ったのは、おそらく、陰陽師として卜占によって病因が求食鬼であることを突き止めた賀茂光栄であったろう。

なお、「鬼気祭」の「鬼気《きき(おにのけ)》」についてであるが、前々節において『栄花物語《えいがものがたり》』に見た「神の気《かみのけ》」という言葉が神の祟《たたり》を意味したように、古記録に見える「鬼気」は鬼の祟を意味する言葉のようである。たとえば、長和四年（一〇一五）の四月に三条天皇を悩ませた病気の原因について、藤原実資の『小右記』は、「疫鬼《えきき》・御邪気《おんじやけ》の祟を為すなり」と記すとともに、「鬼気《きき》の上、巽方《たつみのかた》神社《のじんじや》の祟を加ふるか」とも記している。

○吉平の占ひ申して云ふやう、「疫鬼・御邪気の祟を為すなり」てへり。

（『小右記』長和四年六月十九日条）

○御熱気已《すで》に散る。殊《こと》の事には御坐《おわ》さず。占ひ申して云ふやう、「鬼気の上、巽方神社の祟を加ふるか」てへり。仍《よ》りて御秡《おんはらえ》の事有り。

（『小右記』長和四年六月二十日条）

『小右記』より引いた右の二つの記事を比べるならば、最後の記事に見える「鬼気」という言葉は、明らかに、最初の記事に見える「疫鬼」という鬼のもたらす祟を意味していよう。鬼の祟のことを、平安貴族は「鬼気《きき》」「鬼の気《おにのけ》」とも呼んだのだろう。とすれば、陰陽師の行った鬼気祭という呪術は、その名称から見て、平安貴族の間では鬼の祟に対処する呪術として理解されていたに違いない。

ところで、『小右記』によれば、霊物《れいぶつ》のもたらす病気である「もののけ」という病気は、「樹鬼《じゆき》」と呼ばれる鬼によってもたらされることもあった。すなわち、治安《じあん》三年（一〇二三）の七月に藤原資房《すけふさ》を悩ませた病気の原因の一つが、その「樹鬼」の祟だったのである。

○仁海律師《にんかいりつし》の易筮《えきぜい》して云《い》ふやう、「樹鬼等の祟有り。祈禱《きとう》に応ぜざるか。煩《わずら》ひを経《ふ》るべし。但《ただ》し深き害には及ばざるか。他所に移るは吉なるべし。亦《また》風熱の病有り。医療を加ふべし」てへり。

（『小右記』治安三年七月十四日条）

ここで樹鬼の祟が病因となっていることを突き止めたのは、仁海という験者《げんざ》の卜占（「易筮」）であった。僧侶が卜占を行うのは珍しいことではあるものの、その事例は皆無ではない。仁海の事例は右に見た通りだが、『小右記』によれば、藤原実資の幼い娘が罹病《りびょう》した折に卜占（「易筮」）を行ったのは、義蔵《ぎぞう》という興福寺《こうふくじ》の僧侶であった（『小右記』正暦元年七月八日条）。

それはともかく、右の事例において藤原資房の病気の原因と見做されたのは、樹鬼という鬼であった。この鬼の祟が「もののけ」を引き起こして資房を苦しめたというのである。

しかし、樹鬼という鬼のことは『占事略決』にも見えず、それがどのような鬼であるのかはよくわからない。ただ、その名称から推測するに、前章で見た『源氏物語』の「木霊《こだま》」や『今昔物語集』の「樹神《こだま》」と同様の霊物であったかもしれない。

『占事略決』に見える鬼

右に見たように、平安貴族は鬼による「もののけ」に悩まされることがあった。すなわち、右に紹介した『小右記《しょうゆうき》』の諸事例から明らかなように、平安貴族の理解では、鬼という霊物《れいぶつ》が病気の原因となることがあったのである。『小右記』に登場する「求食鬼《ぐしょくき》」「疫鬼《えきき》」「樹鬼《じゅき》」の三種類の鬼は、平安貴族から病因として扱われた鬼であった。

そして、安倍晴明の『占事略決《せんじりゃくけつ》』は、病因候補として十一種類もの鬼を列挙する。すなわち、「悪鬼《あっき》」「客死鬼《かくしき》」「縊死鬼《いしき》」「溺死鬼《できしき》」「兵死鬼《へいしき》」「乳死鬼《にゅうしき》」「道路鬼《どうろき》」「厠鬼《しき》」「母鬼《もき》」「求食鬼」「无後鬼《むごき》」の十一種類の鬼が、安倍晴明という陰陽師により、陰陽師の卜占《ぼくせん》によって病気の原因と見做される候補として扱われたのである。

ところが、平安時代中期の古記録《こきろく》に見る限り、現に陰陽師の卜占によって病気の原因として指摘されたことが確認されるのは、これら十一種類の鬼のうち、求食鬼のみであった。それ以外の十種類の鬼については、陰陽師が卜占の結果として病因と判じた事例を見出すことができないのである。求食鬼を除く十種類の鬼は、当時の陰陽師から病気の原因として受け入れられていなかったのだろうか。

その一方で、当時、『占事略決』には見えない死者の霊が、陰陽師の卜占によって病気の原因として指摘されることがあった。またしても『小右記』に見える事例になるが、長和四年（一〇一五）の七月のこと、藤原資平《すけひら》の病気について占った安倍吉平《よしひら》は、資平宅の霊を病因と判じたのである（『小右記』長和四年七月十二日条）。

これは二度にわたって卜占を行うことによって判じたところであり、初めの卜占によって判明したのは、「所に付くの霊の為す所也」ということ、つまり、どこか（「所」）に住み着く霊の仕業だということであった。そして、資平を苦しめる霊の正体を突き止めるための再度の卜占の結果は、「内《うち》合はず。住所住所の霊か」というものであった。こうして、資平の「住所」に住み着く霊が病因であることがわかったというのである。

しかし、祖先の霊を意味するであろう「丈人《じょうじん》」を除けば、『占事略決』は死者の霊を病因の候補に挙げてはいない。とはいえ、安倍吉平は『占事略決』を著した安倍晴明の息子であり、その吉平が『占事略決』を無視したような卜占を行っていたとは考え難い。とすれば、なぜ吉平は「住所の霊」を病因と判じるようなことをしたのだろうか。

さて、ここで大きな疑問にぶつかったようにも思われるのだが、実は、陰陽師が『占事略決』には見えない死者の霊を病因として扱うという事態を説明する手がかりは、すでに触れた陰陽師が『占事略決』に見える鬼のほとんどを病因として扱わないという事態にあった。右に見た二つの異常事態は、どうやら、表裏の関係にあるようなのである。

安倍晴明が『占事略決』を著す下地となったのは、『五行大義《ごぎょうたいぎ》』をはじめとする大陸由来の文献である。そのため、『占事略決』に病因候補として見える霊物にも、少なからず中国的な観念が反映されることになった。そして、その反映が殊更《ことさら》に濃厚なのが鬼の場合であり、『占事略決』に見える鬼の多くが日本人には理解されにくい霊物になってしまったのである。

たとえば、『占事略決』は卜占によって指摘するべき病因の候補として「縊死鬼《いしき》」という鬼を挙げるが、澤田瑞穂《さわだみずほ》氏の『鬼趣談義《きしゆだんぎ》』によれば、中国人の言う「縊死鬼」は縊死者の亡霊であった。つまり、首を吊って死んだ者の亡霊が、中国人の言う「縊死鬼」なのである。また、『占事略決』には「溺死鬼《できしき》」という鬼の名前も見えるが、澤田氏によれば、中国人の知る「溺死鬼」は、水に溺れて死んだ溺死者の亡霊であった。

そして、縊死鬼や溺死鬼のみならず、『占事略決』に見える鬼の大半が、日本人には馴染《なじ》みのない――中国人には馴染みのある――死者の霊としての鬼であるらしい。詳しいことはわからないものの、その名称から察するに、「客死鬼《かくしき》」は故郷に帰れずに死んだ者の亡霊、「兵死鬼《へいしき》」は戦死者の亡霊、「道路鬼《どうろき》」は行き倒れになった者の亡霊、「乳死鬼《にゆうしき》」は夭逝《ようせい》した者の亡霊、「母鬼《もき》」は幼子を残して死んだ母親の亡霊、「无後鬼《むごき》」は子孫を残さずに死んだ者の亡霊といったところではないだろうか。

これに対して、平安時代の日本人が理解する鬼は、多くの場合、人間を殺したり食べたりするような狂暴な怪物であった。たとえば、『日本紀略《にほんきりやく》』という史書によれば、天徳《てんとく》二年（九五八）の閏《うるう》七月、大内裏《だいだいり》の諸門に人間の肉を食す「狂女《きようじよ》」が出没したが、人々はこれを「女鬼《めおに》」と呼んだのである

（『日本紀略』天徳二年閏七月九日条）。また、これも『日本紀略』に見える事例だが、天元《てんげん》四年（九八一）の九月、内裏の殿上《てんじょう》において蔵人式部丞《くろうどしきぶのじょう》の藤原貞孝《さだたか》が惨殺《ざんさつ》されるという事件が起きると、人々は「鬼物《きぶつ》の為《ため》に殺さる」と考えたのであった（『日本紀略』天元四年九月四日条）。

したがって、その当時の陰陽師にしてみれば、卜占によって縊死鬼や溺死鬼が病気の原因であることが判明した場合でも、それをそのまま陰陽師以外の人々に伝えるわけにはいかなかっただろう。病因を鬼と判じた陰陽師は、多くの場合、無用な混乱を避けるために、それを死者の霊として人々に伝えたものと思われる。安倍吉平が藤原資平の病気の原因を「住所の霊」と判じたとされる背景には、こうした事情があったのではないだろうか。

死者の霊による「もののけ」

では、卜占《ぼくせん》によって病気の原因が縊死鬼や溺死鬼などの死者の霊であることを突き止めた陰陽師は、人々に死者の霊が病因であることを告げた後、その病気にはどのように関わったのだろうか。

結論から言えば、病因が死者の霊であった場合、陰陽師が病気の治療に直接に関与することはなかった。たとえば、前項にも見た藤原資平《すけひら》の病気の事例では、卜占によって「住所の霊」を病因と判じたのは安倍吉平《よしひら》という陰陽師であったが、『小右記《しょうゆうき》』に見る限り、その吉平は治療にはまったく携わっていないのである（『小右記』長和四年七月十二日条）。

また、管見の限り、陰陽師が死者の霊を原因とする病気を直接に治療しようとした事例は、平安時代中期の古記録《こきろく》からはただの一例も見出されない。おそらく、平安貴族の理解において、死者の霊による「もののけ」は、陰陽師に治療を任せるべき病気ではなかったのであろう。

そして、「住所の霊」を原因とする藤原資平の病気が『小右記』の中で「霊気《れいき》」とも記されているように（『小右記』長和四年七月十三日条）、平安貴族は死者の霊の引き起こす霊障を「霊気」と呼んだが、その霊気を原因とする病気——死者の霊による「もののけ」——は、平安貴族の理解するところ、験者《げんざ》に治療を任せるべき病気であった。すなわち、死者の霊を原因とする病気の治療を、平安貴族は加持《かじ》や修法《すほう》を行う験者に期待していたのである。

『枕草子《まくらのそうし》』に「験者の物のけ調《ちょう》ずとて、いみじうしたりがほに」（『枕草子』すさまじきもの）と見えるように、加持や修法といった験者の呪術をもって「もののけ」に対処するのは、平安貴族には当然のことであった。そして、平安時代中期の古記録に見る限り、「もののけ」の原因が死者の霊である場合、その「もののけ」の治療に験者以外の者による呪術が用いられることはまったくなかった。

たとえば、先にも触れた藤原資平の病気の事例においても、陰陽師の安倍吉平の卜占によって「住所の霊」が病因であることがわかると、そこで検討されたのは験者に加持を行わせるかどうかということであった。その一方で、病因を特定した陰陽師（吉平）に祭《まつり》や禊祓《みそぎはらえ》を行わせるか否かということは、ここではまったく問題にされていない。

○吉平朝臣《あそん》の占ひて云《い》ふやう来たりて時剋を問ふ。病を得る時の確かならざる故也、「所に付くの霊の為す所也」てへり。縦《たと》ひ邪気《じゃけ》と雖《いえど》も、時疫《ときえき》流行の間、加持を加へず。

（『小右記』長和四年七月十二日条）

この事例の場合、資平の病気が疫病（「時疫」）である可能性が考慮されたため、結局、加持が行われることはなかった（詳しくは後述するが、平安貴族は疫病に対して験者の呪術を用いることを強く忌避《きひ》した）。となれば、験者の呪術である加持の代わりに、祭や禊祓といった陰陽師の呪術が行われてもよさそうなものだが、ここではそうした措置がとられることもなかったのである。死者の霊による「もののけ」を治療するために陰陽師の呪術を用いるというのは、平安貴族には考えもつかないことだったのかもしれない。

とすれば、次の『小右記』に見える後一条天皇を悩ませた「もののけ」も、おそらくは、死者の霊によるものであったろう。その病気というのは、寛仁《かんにん》四年（一〇二〇）の九月、陰陽師の安倍吉平が卜占によって「もののけ」（「御邪気《おんじゃけ》」）と判じたものである。

○此《こ》の間、御悩《おんなや》みの更《さら》に発《はっ》す。重く悩み御《おわ》す。或《ある》ひは云《い》ふやう、「吉平の御邪気の由《よし》を占ふ。仍《よ》りて僧等の加持を奉仕す」と。

（『小右記』寛仁四年九月十四日条）

この事例においても、「もののけ」を治療するために験者に加持を行わせることはあっても、陰陽師の祭や禊祓が用いられることはなかった。陰陽師の安倍吉平は、卜占によって病因が霊物《れいぶつ》であることを突き止めながらも、治療からは締め出されてしまったのである。そして、陰陽師の呪術が排除されて験者の呪術による治療のみが行われたという点から、右の「もののけ」（「御邪気」）が死者の霊によるものであったことが考えられるのである。

5　疫病と陰陽師

疫神

正暦《しょうりゃく》五年（九九四）の六月十六日のこと、この日、平安京の往来《おうらい》から人々の姿が消えた。十万を超すと言われる都の住人のすべてが、門戸を固く閉ざして家の中に籠《こも》ってしまったのである。そして、『本朝世紀《ほんちょうせいき》』という史書によれば、この静かな騒動を引き起こしたのは、疫神《えきしん》が京中を横行するという噂《うわさ》（「妖言《ようげん》」）であった。

○今日に妖言あり。「疫神の横行すべし。都人士女《とじんしじょ》は出行《しゅっこう》すべからずと云々《うんぬん》」と。仍《よ》りて上卿《しょうけい》以下庶民に至るまで門戸を閉ざす。往還《おうかん》の輩《やから》無し。

（『本朝世紀』正暦五年六月十六日条）

確かに、この正暦五年には全国で疫病《えきびょう》が流行していた。この年の正月に九州ではじまったとされる疫病は、瞬《またた》く間に諸国に蔓延《まんえん》し、五月には「疾病《しっぺい》は止《や》まず。京中・外国は病厄の弥《いよいよ》盛んなりと云々」と言われるほどの様相を呈していたらしい（『本朝世紀』正暦五年五月二十四日条）。

こうした状況下、どこからともなく「疫神の横行すべし」という噂が流れてきたのである。それが人々を慌てさせたのは、まったく当然のことであろう。結局、身分の上下に関係なく、都に住むすべての人々が、噂を信じて家に閉じ籠ることになったのであった。

それから数日の後、都に住む人々は、疫神を海の彼方に送り出そうと、御霊会《ごりょうえ》というものを行った。この御霊会は、朝廷の主催する公的な祭祀ではなく、都の住人たちの自主的な催しであったが、『本朝世紀』によれば、「木工寮《もくりょう》・修理職《しゅりしき》」や「城中の伶人《れいじん》」といった公的な役割を担う人々の協力もあり、多くの人々を集めて盛大に行われたらしい。

○此《こ》の日、疫神の為《ため》、御霊会を修せらる。木工寮・修理職の御輿《みこし》二基を造る。北野《きたの》の船岡《ふなおか》の上に安《あん》置《ち》し、先《ま》づ僧侶を屈《くっ》して仁王経《にんのうきょう》を講ぜしむ。城中の伶人の音楽を献ず。会集《かいしゅう》の男女は幾千人と知らず。幣帛《へいはく》を捧《ささ》ぐる者は老少街衢《がいく》に満つ。一日の内に事了《ことお》はんぬ。此《これ》を山境に還《かえ》して彼《かれ》より難波《なにわ》の海に還し放つと云々。此《こ》の事は公家《こうけ》の定むるには非《あら》ず。都人の蜂起して勤修《ごんしゅう》する也。

（『本朝世紀』正暦五年六月二十七日条）

さて、ここで注目したいのは、平安時代の人々が疫病の流行を「疫神」という神の仕業と見做していた点である。疫病流行の最中に疫神の横行が恐れられたように、また、その疫神を遠方に追却《ついきゃく》するために御霊会が行われたように、平安時代の人々の理解するところ、疫病というのは、疫神という神が天下に撒《ま》き散らす病気だったのである。

そして、このような理解は、当時の人々の間に相当に広まっていた。そのため、長和四年（一〇一五）の疫病流行の折にも、平安京の住人たちの間に、疫神を祀ろうとする動きが見られたのである。すなわち、藤原実資《さねすけ》が『小右記《しょうゆうき》』に記すところによれば、「夢想《むそう》」あるいは「託宣《たくせん》」を契機として、右京《うきょう》（西京《にしのきょう》）の花園寺《はなぞのでら》に近い「疫神社」に疫神が祀られたのであった。

○西京の花園寺の坤方《ひつじさるのかた》の紙屋河《かみやがわ》の西頭に新たに疫神社を卜《ぼく》す。是《これ》は西洛の人の夢想なりと云々。或《ある》ひは云ふやう、「託宣なりと云々」と。今日、東西京師《きょうじ》凡庶《ぼんしょ》、首《こうべ》を挙《あ》げて御幣《ごへい》を捧《ささ》げ、神馬《しんば》を具《そな》へて社頭に向かふと云々。慥《たし》かに問ひて記すべし。

（『小右記』長和四年六月二十五日条）

○花園に疫神を崇祀するの後、病患の弥《いよいよ》倍すると云々。

（『小右記』長和四年六月二十九日条）

また、これと同様の動きは、永承《えいしょう》七年（一〇五二）にも見られた。すなわち、この年の五月、右京の「今宮《いまみや》」と呼ばれる疫神社にて「東西の京の人々」が祭礼を挙行したというのであるが、藤原資《すけ》房《ふさ》の『春記《しゅんき》』によれば、この疫神祭祀の発端《ほったん》も「夢想」にあったらしい。右京に住む某《なにがし》の夢想に顕《あらわ》れた異国の神（「唐朝《とうちょう》の神」）が、疫病の流行を止める代わりに鎮座すべき社《やしろ》を用意して相応の祭祀を行うように求めたというのである。

○近会《きんえ》、西京の住人の夢に、神人《しんじん》と称するの者の来たりて云《い》ふやう、「吾《われ》は是《これ》、唐朝の神也《なり》。住む所無く此《こ》の国に流れ来たる。已《すで》に拠《よ》る所無し。吾の到る所は悉《ことごと》く以《もっ》て疫病を発す。若《も》し吾を祭り其《そ》の住む所を作ると称《しょう》さば、病患を留《とど》むべきもの也。但《ただ》し吾は瑞想《ずいそう》を表し汝《なんじ》に示さん。其の所を以て吾の社《やしろ》と為《な》すべき也」てへり。

（『春記』永承七年五月二十八日条）

「疫神」と呼ばれた神格の来歴の一端を物語っている点で、この事例は非常に貴重であるが、それはともかく、この事例からも、疫病の流行を疫神の仕業とする理解が平安時代の広汎な人々に共有されていたことが知られよう。そして、そうした理解が平安貴族にも共有されていたことは言うまでもなかろう。

疫病と験者の加持

しかし、そのような理解があったため、平安貴族の間では、疫病《えきびょう》の治療に験者《げんざ》の加持《かじ》を用いることが強く忌避《きひ》されることになった。本章の第2節で見たように、病気の原因が神の祟《たたり》（「神《かみ》の気《け》」）である場合、平安貴族が治療のために験者の加持を用いることはなかったが、疫神という神のもたらす疫病についても、平安貴族は同様の判断をしたのである。

しかも、それが疫病の治療を目的としたものでなくとも、疫病を患う病人のために加持を行うことは、平安貴族にとっては避けなければならないことであった。たとえば、女性が出産に臨むにあたって験者の加持が行われるのは、平安貴族にとっては普通のことであったが、妊婦が何らかの疫病を患っている場合には、出産のための加持は憚《はばか》られることになった。次の『小右記』に見える事例のごとくである。

○尚侍《ないしのかみ》に赤斑瘡《あかもがさ》を煩ふの間に産気有り。加持有るべきや否《いな》やの事、疑ひを持つと云々《うんぬん》。仍《よ》りて占はるること有り。吉平《よしひら》の云ふやう、「宜《よろ》しからず」と。守道《もりみち》の云ふやう、「吉也」と。禅閤《ぜんこう》の加持すべきの心を存じて吉平を勘当《かんどう》す。然《しか》り而《しこう》して諸僧は加持すること能《あた》はず。神気《しんき》を怖るるに依《よ》るなりと云々。

（『小右記』万寿二年八月五日条）

万寿《まんじゅ》二年（一〇二五）の八月、東宮敦良親王《あつながしんのう》妃の藤原嬉子《よしこ》（尚侍）は、「赤斑瘡」と呼ばれる疫病を患う身体であったにもかかわらず、出産に臨まねばならなかった。とはいえ、この場合、妊婦が疫病を患っている以上、いかに出産の危険を減らすためとはいえ、験者に加持を行わせるわけにはいかなかった。

これに対して、嬉子の父親の藤原道長《みちなが》（「禅閤」）は、どうしても娘のために加持を行わせたかったらしい。そのため、安倍吉平・賀茂守道の二人の陰陽師に加持を行うことの是非を占わせ、加持を

「宜しからず」と判じた吉平を勘当に処《しょ》してまで、加持を強行しようとしたのである。

だが、このときの道長の判断が人々の支持を得られるはずはなかった。何よりも、加持を行うべき験者たちが、道長の意向に従おうとしなかったのである。験者は神の崇（「神気《しんき》（かみのけ）」）を恐れたのだという。

この事例から明らかなように、疫病を患う妊婦のために加持を行うことが憚られたのは、その加持が神の崇を引き起こしかねないと考えられたためであった。もちろん、そのような理解は、加持を行う験者だけではなく、験者に加持を行わせる平安貴族にも共有されたものであったろう。前節で紹介した藤原資平《すけひら》の病気の事例では、陰陽師の卜占《ぼくせん》が「住所の霊」を病因と判じたにもかかわらず、疫病流行の折ゆえに疫病を患っている可能性が考慮され、験者に加持を行わせることが控えられたのである（『小右記』長和四年七月十二日条）。

このように、平安貴族の理解において、疫病は疫神《えきしん》という神によってもたらされる病気であり、それゆえ、その疫病の患者のために加持を行うことは憚られねばならなかった。神は仏法《ぶっぽう》を嫌うという平安貴族の理解からすれば、疫病を治療するために、あるいは、疫病を患う妊婦の出産を助けるために、加持のような仏法を背景とする呪術を用いたりすれば、それによって神の崇を受けることになりかねなかったのである。

そして、右に見た藤原嬉子の赤斑瘡の事例において平安貴族としては非常識な判断をした藤原道長も、疫病に苦しむ妊婦が自身の娘でさえなければ、やはり、あのような判断をすることはなかったのではないだろうか。右の事例の中で験者たちが示した理解は、本来、道長にも共有されていたに違いない。

疫病と陰陽師の鬼気祭

一方、本書の主役である陰陽師はと言えば、「鬼気祭《ききさい》」という呪術を行うことによって、平安貴族の患う疫病《えきびょう》の治療にあたっていた。たとえば、「咳疫《しわぶきのえき》」あるいは「咳瘧疫《しわぶきのおこりのえき》」と呼ばれる疫病が流行した正暦《しょうりゃく》四年（九九三）の夏、藤原実資《さねすけ》家でも多くの罹患者《りかんしゃ》が出たが、この事態に対処すべく実資の講じた措置は、氏姓不明の陳泰《のぶやす》という陰陽師に鬼気祭を行わせるというものであった。

○今月、人民は悉く《ことごと》咳疫す。五・六月の間に咳瘧疫有り。

（『日本紀略』正暦四年六月条）

○今夜、陳泰朝臣《あそん》を以《もっ》て鬼気祭を行はしむ。家中《かちゅう》上下に悩み煩ふ者衆《おお》し。仍《よ》りて行はしむる所なり。就中《なかんずく》、小尼は重く悩み煩ふ也《なり》。

（『小右記』正暦四年六月四日条）

ここに見える「鬼気祭」という呪術については前節でも少しく述べたが、これは鬼の祟（「鬼気《きき》」）を除去するための呪術であった。前節において紹介したのは、藤原実資の病気の原因である「求食《ぐしょく》鬼《き》」という鬼に対処するため、陰陽師の賀茂光栄《みつよし》が行った鬼気祭である（『小右記』長保元年九月十六日条）。陰陽師の行う鬼気祭が鬼に対処するための呪術であったことは疑いない。

とすれば、鬼気祭による治療が行われた正暦四年の疫病は、平安貴族の理解において、鬼によってもたらされた病気だったのだろうか。

実のところ、疫病を「疫神《えきしん》」という神のもたらす病気として理解していた平安貴族は、その一方で、「疫鬼《えきき》」という鬼が疫病をもたらすという理解をも持っていたのである。つまり、疫病というものについての二通りの説明——その二つは必ずしも相互に矛盾がないわけでもない——が、平安貴族によって同時に受け入れられていたのである。したがって、平安貴族にとっての疫病は、疫神という神を原因とする病気であると同時に、疫鬼という鬼を原因とする病気でもあった。

図11　疫鬼（『政事要略』より）

そして、陰陽師の卜占《ぼくせん》においては、疫病は疫鬼という鬼による病気として扱われていたらしい。たとえば、長和四年（一〇一五）の六月に三条天皇の病気を占った安倍吉平《よしひら》は、その病気が疫病である可能性を指摘するにあたり、「疫鬼」や「鬼気」といった表現を選んでいるのである。

○吉平の占ひ申して云《い》ふやう、「疫鬼・御邪気《おんじゃけ》の祟を為すなり」てへり。

（『小右記』長和四年六月十九日条）

○御熱気已《すで》に散る。殊《こと》の事には御坐《おわ》さず。占ひ申して云ふやう、「鬼気の上、巽方神社《たつみのかたのじんじゃ》の祟を加ふるか」てへり。仍《よ》りて御秡《おんはらえ》の事有り。

（『小右記』長和四年六月二十日条）

こうして見ると、『小右記《しょうゆうき》』長保元年九月十六日条において賀茂光栄の卜占が藤原実資の病気の原因と判じたとされる「求食鬼」という鬼は、疫病をもたらす疫鬼であったかもしれない。安倍晴明の『占事略决《せんじりゃくけつ》』は病因候補として十一種類の鬼を列挙するが、その一つに数えられるのが求食鬼である。そして、『占事略决』の挙げる病因候補の中に疫病の原因と見做されるものがないことの不自然さを考慮するならば、この求食鬼こそを『占事略决』における疫病の病因と見做すことができるのではないだろうか。

ちなみに、もしそうだとすると、求食鬼という鬼は、『占事略决』に見える十一種類の鬼の中でも、数少ない死者の霊ではない鬼だということになる。すでに見たように、『占事略决』に列挙された十一種類の鬼の多くは、死者の霊として理解されるべき存在であり、日本人が普通に理解する鬼とは異なる存在であった。

疫鬼

疫病《えきびょう》をもたらすとされる「疫鬼《えきき》」という鬼に関して、『善家異記《ぜんけいき》』（『善家秘記《ぜんけひき》』とも）と呼ばれる書物が、おもしろい話を伝えている。三善清行《みよしのきよゆき》という平安時代中期を代表する学者が生涯に見聞《けんぶん》した奇異談を集録したのが『善家異記』であるが、同書は早くに散逸《さんいつ》してしまい、現在では『政事要略《せいじようりゃく》』や『扶桑略記《ふそうりゃっき》』といった後世の文献に引用された断片が残っているに過ぎない。しかし、そのわずかな残存部分にも、次のような興味深い話が見えるのである。

三善清行が備中介《びっちゅうのすけ》として備中国に赴任《ふにん》した寛平《かんぴょう》五年（八九三）、当地では疫病が猛威《もうい》を奮《ふる》っており、清行の周囲の者も次々と病《やまい》の床《とこ》に臥《ふ》していった。そこに現れたのが、鬼を見ることができる（「能《よ》く鬼を見ん」）という一人の優婆塞《うばそく》である。清行はその優婆塞を呼び寄せてみることにした。

清行のもとを訪れた優婆塞は、まずは次のように告げた。「一《いち》の鬼有りて、椎《つち》を持つ。府《ふ》の君《きみ》に侍《はべ》る児《ちご》の首《こうべ》を打つ」と。すなわち、「府の君」というのは備中国府《びっちゅうのこくふ》の事実上の責任者であった清行のことであり、その清行に仕《つか》える稚児《ちご》が、槌《つち》（椎）を持つ鬼に頭（首）を殴《なぐ》られているというのである。そのころ、清行には元服《げんぷく》前の源 教《みなもとのおしう》が稚児《ちご》として仕えていたが、その教は折しも疫病に苦しんでいる最中であった。

また、優婆塞は「二《に》の鬼有りて、奉侍人菅野清高《すがののきよたか》の首《こうべ》を奪ふ」とも告げた。すなわち、二匹の鬼が清行の従者であった菅野清高という者の頭（首）を奪おうとしているというのである。それを聞いた清高は、血相《けっそう》を変えてその場を走り去ろうとするが、数歩も行かないうちに疫病に罹《かか》って倒れてしまったという。

（『善家異記』巫覡《ふげき》の鬼を見て徴験《ちょうげん》有るの記〈『政事要略』巻七十所引〉）

「優婆塞」というのは、まだ出家するに至っていない男性の仏道修行者のことである。だが、ここに登場する鬼を見る優婆塞は、おそらく、備中国において事実上の男巫《おとこみこ》として生計を立てていたのだろう。

その優婆塞には、寛平五年の疫病流行の最中、疫病に苦しむ人々が鬼に頭を殴られている様子が見えたという。しかも、それらの鬼は槌《つち》（椎）を持っていたというから、優婆塞の見た鬼は槌で人々の頭を殴っていたのであろう。そして、そうした鬼たちが右の話において疫病の原因として語られていることは明らかである。つまり、この話に登場する鬼は、疫鬼なのである。

そして、槌を持った疫鬼が人々に疫病をもたらしたとするのは、右の話ばかりではない。三善清行の『善家異記』は、次のような話をも伝えている。

清行の父親の三善氏吉《うじよし》は、貞観《じょうがん》二年（八六〇）に淡路守《あわじのかみ》となったが、同四年に任地で重病を患うことになった。そこに「能《よ》く鬼を見て人の死生を知る」という老婆《ろうば》が現れる。そして、氏吉の妻に呼ばれて氏吉の病床を訪れた老婆は、「裸の鬼の有りて、椎を持つ。府の君の臥す処《ところ》に向かふ」と告げたという。すなわち、槌(椎)を手にした裸の鬼が氏吉(「府の君」)を害しているというのである。

(『善家異記』巫覡の鬼を見て徴験有るの記〈『政事要略』巻七十所引〉)

ここに登場する鬼を見る老婆は阿波《あわ》国からやって来たというが、おそらく、彼女は巫《みこ》として諸国を渡り歩いていたのだろう。そして、この話の場合、老婆の眼には鬼の他に氏吉の氏神《うじがみ》の姿も見えたといい、その氏神が鬼を撃退したことで氏吉は病死せずに済むのであるが、ここでも鬼が病気の原因として語られていることは明らかである。

また、右の話では、鬼のもたらした病気が明確に疫病と見做されているわけではないものの、貞観五年の平安京では有名な神泉苑《しんせんえん》の御霊会《ごりょうえ》が行われているから、話の舞台となった貞観四年の淡路国で疫病が流行していたとしてもおかしくない。とすれば、やはり、氏吉を苦しめた病気は疫病であり、それをもたらした槌を持つ鬼は疫鬼であったろう。

さて、以上の二つの話に従うならば、平安貴族にとって、疫病に罹るというのは、疫鬼に槌で頭を殴られるということであったらしい。すなわち、平安貴族の理解するところ、疫病をもたらすとされる疫鬼という鬼は、槌で人々の頭を殴ることによって、次々に人々を罹病させていったのである。

そういえば、鎌倉時代末期に制作された『春日権現霊験記絵《かすがごんげんれいげんきえ》』という絵巻物には、病人のいる民家を覗《のぞ》き込む鬼の姿が見出されるが、この鬼も褌《ふんどし》に挿《はさ》むようにして槌を携えている(図12)。この鬼は

図12　『春日権現霊験記絵』巻８（模本，東京国立博物館所蔵）
屋根の上から屋内の病人の様子をうかがう疫鬼．その腰には槌が見える．

疫鬼として描かれたと見て間違いないだろう。槌を持った疫鬼が疫病をもたらすという平安貴族の疫病についての理解は、鎌倉時代末期の人々にも継承されていたのである。

疫病の予防

このような疫鬼《えきき》に対して、平安貴族は警戒を怠らなかった。たとえば、陰陽師の行う鬼気祭《ききさい》によって疫病《えきびょう》をもたらす疫鬼に備えることが、平安貴族の間では盛んに行われたのである。

すでに見たように、鬼気祭というのは鬼の祟（「鬼気《きき》」）を除去するための呪術であったが、平安貴族が陰陽師に行わせた鬼気祭には、当座の病気の治療を目的とするわけではない、一見しただけでは目的のわからないものが少なくない。たとえば、藤原道長《みちなが》邸の門前で行われた鬼気祭がそうであり、また、藤原実資《さねすけ》が縣奉平《あがたのともひら》や中原恒盛《つねもり》といった陰陽師に行わせた鬼気祭もそうである。

○家の門に鬼気祭を修す。　（『御堂関白記《みどうかんぱくき》』長和四年五月二十九日条）

○陰陽師奉平を以《もっ》て鬼気祭を修せしむ。　（『小右記《しょうゆうき》』天元五年四月十二日条）

○今夜、鬼気祭なり西門。文高の病を称す。仍りて陰陽属恒盛を以て祭らしむ。　（『小右記』長元四年二月二十九日条）

そして、古記録《こきろく》にその目的が明記されていないこれらの鬼気祭は、どうやら、疫病を予防する目的で毎年の春夏秋冬に平安貴族の私宅において行われた、季節ごとの鬼気祭であったらしい。というのは、次に引く『小右記』の記事のいずれにも惟宗文高《これむねのふみたか》という陰陽師による「当季《とうき》の鬼気祭」のことが見えるように、平安貴族の間には季節ごとに自宅で鬼気祭を行う習慣があったからに他ならない。

○今夜、当季の鬼気祭なり。文高。西門。　（『小右記』長和二年八月十三日条）

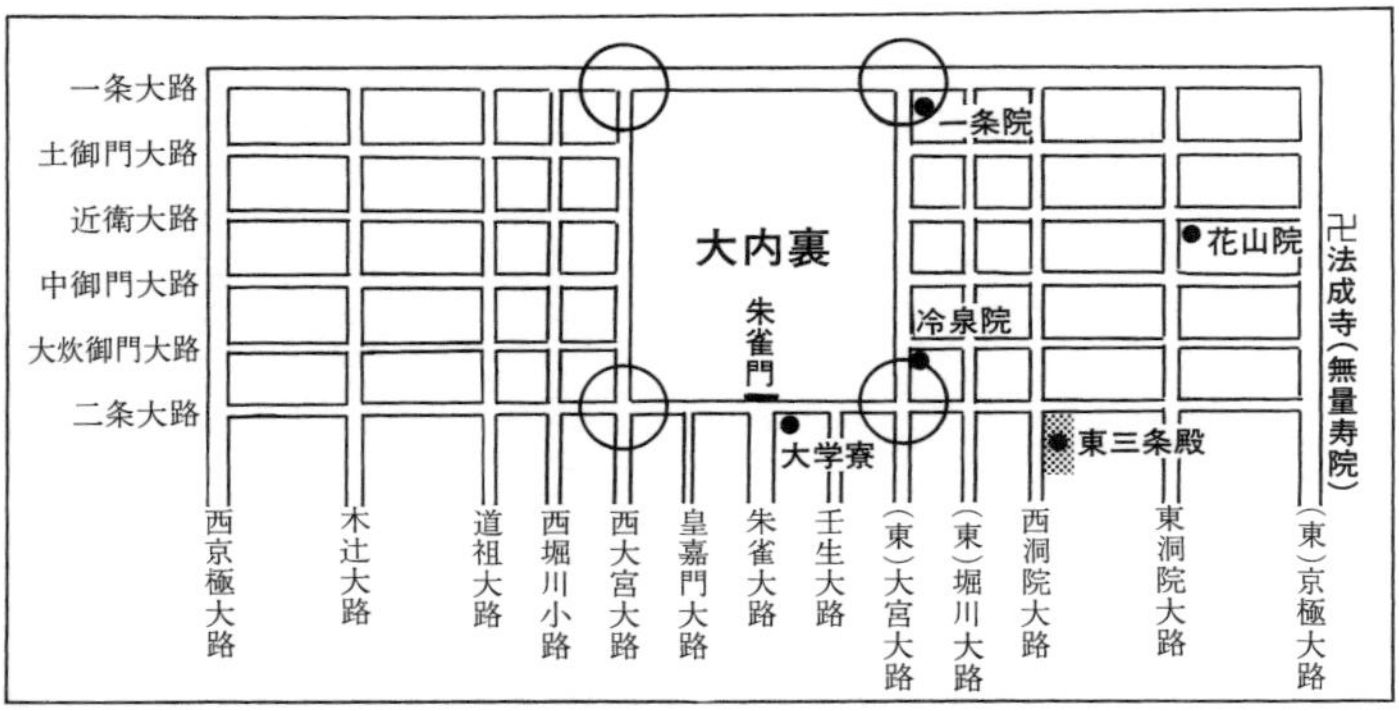

図13　大内裏周辺図（○は四角を示す）

○今夜、当季の鬼気祭を行ふ文高。西門。

（『小右記』治安三年七月十七日条）

○当季の鬼気祭なり北門。文高宿祢《すくね》。

（『小右記』治安三年十二月二日条）

○当季の鬼気祭なり文高。

（『小右記』長元元年十二月二十二日条）

また、平安貴族の個々人によってだけではなく、当時の朝廷によっても、陰陽師の鬼気祭をもって疫病を予防する措置が講じられることがあった。朝廷の主催した「四角祭《しかくさい》」および「四堺祭《しかいさい》」がそれである。

「皇居四角祭《こうきょしかくさい》」とも呼ばれた「四角祭」の実体は、要するに、大内裏《だいだいり》を囲む四つの角において陰陽師によって行われる四つの鬼気祭であった。つまり、大内裏を囲んで走る四本の大路（一条大路・二条大路・東大宮大路・西大宮大路）によって生まれた四ヵ所の交差点が「皇居四角」であり（図13）、その四角において行われる鬼気祭が「（皇居）四角祭」と総

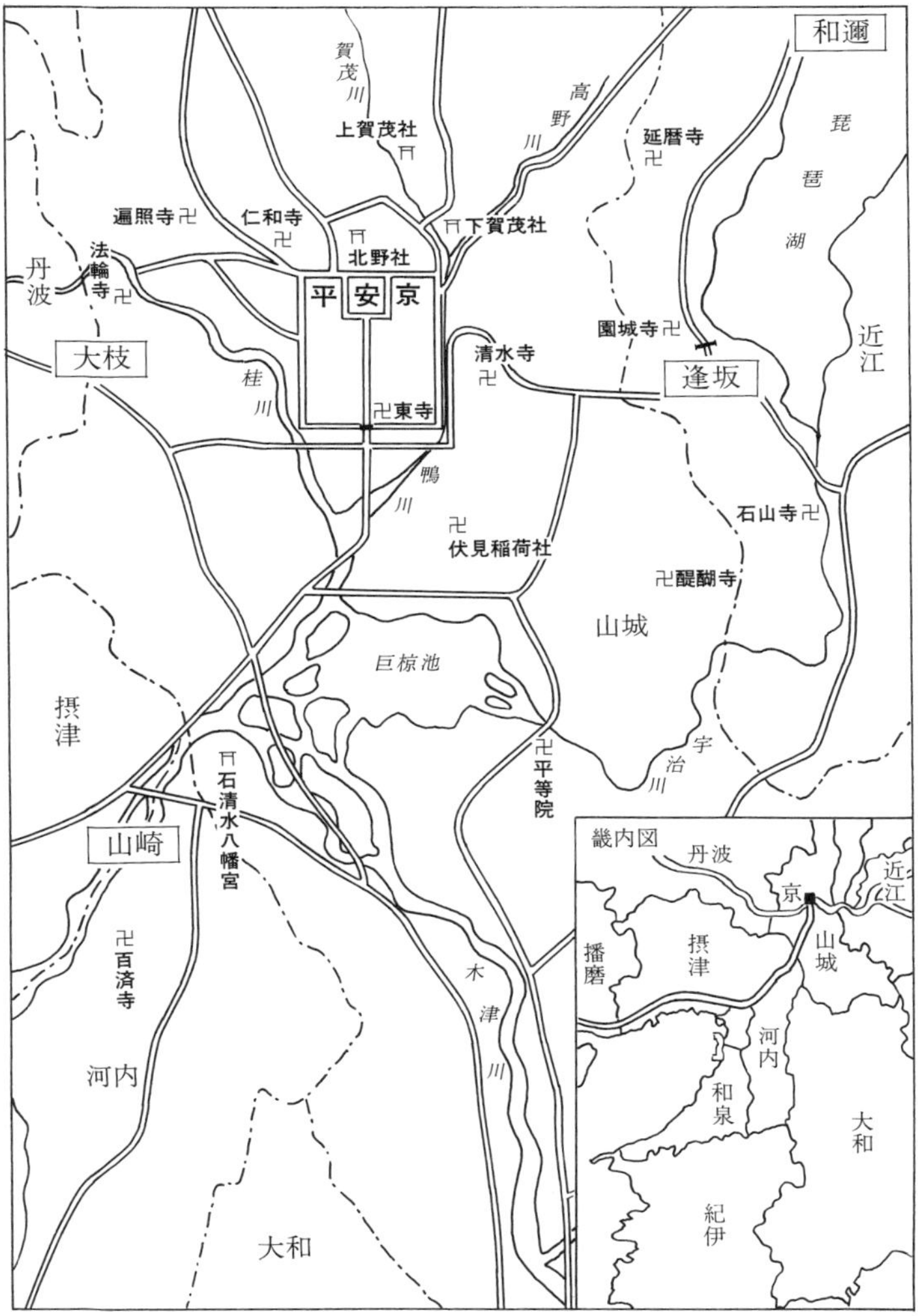

図14　平安京周辺図（□は四堺を示す）

称されたのである。もちろん、その目的は、疫病をもたらす疫鬼の内裏への侵入を防ぐことにあった。

同様に、平安京のある山城国《やましろのくに》の東南西北の四つの堺《さかい》（境界）において陰陽師の行う四つの鬼気祭こそが、「郊外四堺祭《こうがいしかいさい》」とも呼ばれた「四堺祭」の内実である。東海道《とうかいどう》および東山道《とうざんどう》に通じる逢坂《おうさか》（会坂）が東の堺、南海道《なんかいどう》および山陽道《さんようどう》に通じる山崎《やまざき》が南の堺、山陰道《さんいんどう》に通じる大枝《おおえ》が西の堺、そして、北陸道《ほくりくどう》に通じる和邇《わに》が北の堺であり、この東南西北の堺が「郊外四堺」にあたる（図14）。これら東南西北の堺において鬼気祭を行う四堺祭の目的は、むろん、疫鬼の平安京への侵入の阻止に他ならない。

そして、四角祭と四堺祭とは同時に行われることが多く、そのため、しばしば両祭を一括《ひとくく》りにした「四角四堺祭《しかくしかいさい》」という名称も用いられたが、四角祭・四堺祭の意図するところは、要するに、国家の最も重要な部分を疫鬼の侵入から守ることにあった。平安貴族にとっては、四堺祭によって守られる平安京こそが国家の中心であり、その平安京の中心は四角祭によって守られる内裏に他ならなかった。

追儺

もちろん、平安時代の朝廷が疫鬼《えきき》のもたらす害悪から守ろうとしたのは、天皇の住まう内裏や貴族たちの多くが暮らす平安京ばかりではない。毎年の大晦日《おおみそか》に宮中で行われた追儺《ついな》は、この日本国のあらゆる場所から疫鬼を駆逐《くちく》することを目的とした行事であった。

この追儺において眼に見えない疫鬼を追い立てるために行われたのは、「桃弓《もものゆみ》」（桃の木を材料とする弓）で「葦矢《あしのや》」（葦を材料とする矢）を射かける所作《しょさ》、および、「桃杖《もものつえ》」（桃の木を材料とする兵杖《へいじょう》）を振るう所作であった。すなわち、「桃弓」「葦矢」「桃杖」の三つが、疫鬼を退けることのできる道具とされたのである。

ここで桃の木を材料とした道具が登場することは非常に興味深い。『日本書紀《にほんしょき》』に「此《これ》は桃を用《も》て鬼を避《ふせ》く縁《ことのもと》なり」と語られるのは、伊耶那岐命《いざなぎのみこと》という神が桃の実を投げつけることで黄泉国《よみのくに》の悪鬼を撃退したという神話であるが（『日本書紀』神代上）、桃に鬼を退ける力が宿るという理解は、相当に古いものであった。そして、この桃と鬼との組み合わせを語る話として最も有名なものが、多くの日本人が子供のころに一度は耳にしたであろう「桃太郎」という昔話である。

それはともかく、追儺に使う桃弓・葦矢・桃杖といった道具を用意したのは、陰陽寮《おんみようりよう》という官司《かんし》であった。拙著『陰陽師と貴族社会』において詳述したように、陰陽寮というのは、平安時代に陰陽師の活動の拠点となった官司に他ならない。つまり、追儺という行事にも陰陽師が深く関与していたのであり、わかりやすく言ってしまえば、陰陽師こそが追儺という行事を指揮していたのである。

そして、追儺が行われる中で陰陽師自身が担った最も重要な役割は、「追儺祭文《ついなさいもん》」と呼ばれるものを読み上げることであった。この追儺祭文は疫鬼を追い払うための呪文であり、そこには次のような一節が含まれている。

○穢《きたな》く悪《あ》しき疫鬼の所々村々に蔵《かく》り隠《かく》らふるをば、千里の外、四方《よも》の堺《ほとり》、東方陸奥《むつ》、西方遠値嘉《とおつちか》、南方土佐《とさ》、北方佐渡《さど》よりをちの所をなんぢたち疫鬼の住みかと定め賜《たま》ひ（後略）

（延喜陰陽寮式）

この祭文では、「所々村々」に潜む「穢く悪しき疫鬼」に対して、彼らを日本国の「四方の堺」――東南西北の境界――の外に放逐《ほうちく》することが宣言される。そして、この祭文が「疫鬼の住みか」として認めるのは、日本国の領域の「千里の外」であった。すなわち、ここでは、東は陸奥国（現在の東北地方の太平洋側）、南は土佐国（現在の高知県）、西は値嘉島（現在の長崎県に属する五島列島のうちの一島）、北は佐渡島（現在の新潟県に属する佐渡ヶ島）までが日本国の領域として宣言され、その東南西北の境界の彼方が「疫鬼の住みか」として認められたのである。

こうして、毎年の大晦日、朝廷は日本国から疫鬼を追い払おうとした。しかし、この行事が毎年の大晦日に繰り返し繰り返し行われたということは、それ自体、平安貴族の理解する疫鬼がいくら追い払っても戻ってくる厄介な霊物《れいぶつ》であったことを物語っていよう。

私宅の「鬼やらひ」

なお、遅くとも平安時代中期までには、追儺《ついな》は平安貴族の私宅においても行われるようになっていた。次に引く『蜻蛉日記《かげろうにっき》』に見えるのは、天禄《てんろく》二年（九七一）の大晦日に藤原道綱母《ふじわらのみちつなのはは》の自宅で追儺が行われた折の模様である。

○鬼やらひ来《き》ぬるとあれば、あさましあさましと思ひ果つるもいみじきに、人は、童・大人ともいはず、「儺《な》やらふ儺《な》やらふ」と騒ぎののしるを、われのみのどかに見聞けば、ことしも、ここちよげならむところのかぎりせまほしげなるわざにぞ見えける。

（『蜻蛉日記』中）

ここには子供も大人も大声を挙げて「儺やらふ儺やらふ」とはしゃいだことが見えるが、「儺やらふ」というのが追儺の折の掛け声だったのだろう。そして、右の記事からは、平安貴族が追儺を「鬼やらひ」とも呼んでいたことが知られよう。「鬼やらひ」の「やらひ」は、おそらく、「追い払う」という意味の「やらふ」という古語に由来するのだろう。平安貴族にとっての追儺は、やはり、鬼を追い払うための行事であった。

こうした平安貴族の私宅における追儺は、少なくとも平安時代中期には、相当に広く行われていたらしい。というのも、『源氏物語』の短い記述より、当時の子供が追儺をまねた遊びをしていたことがうかがわれるからである。すなわち、若紫《わかむらさき》が静かに雛遊《ひなあそ》びをしていたところに、「犬君《いぬき》」と呼ばれる子供が「儺やらふ」と騒ぎながら乱入してきたというのである（『源氏物語』紅葉賀）。

そして、平安貴族の理解では、人々が私宅での追儺を十分に行わないようなことがあると、多くの疫鬼《えきき》が国内に留まり続けることになりかねなかった。たとえば、延喜《えんぎ》八年（九〇八）には疫病《えきびょう》の流行が見られたのだが、醍醐《だいご》天皇の日記によれば、平安貴族の理解するところ、この年に咳病《しわぶきやみ》が流行したのは、その前年の年末に追儺を行わない家が少なからずあったためであった。

○大臣に仰《おお》す。去年の晦夜、処々に或《ある》ひは追儺せず。人々の云《い》ふやう、「今年、京中は咳《しわぶき》を愁《うれ》ふ。此《これ》は疫鬼を儺《な》せずに依《よ》るなりと云々《うんぬん》」と。宜《よろ》しく所司に仰せて儺《な》をせしむべし。

（『醍醐天皇御記』延喜八年十二月二十九日条）

そのため、平安貴族は追儺を重要視していたのだが、しかし、ときには追儺を行うわけにはいかない事情が生じることもあった。たとえば、長保三年（一〇〇一）の年末などがいい例であろう。すなわち、同年閏《うるう》十二月に一条天皇の生母であった東三条院《ひがしさんじょういん》藤原詮子《あきこ》が没したため、それを憚《はばか》って宮中の追儺の中止が決定されるとともに、人々が私宅で追儺を行うことも自粛《じしゅく》せざるを得ない状況が生まれたのである。

ところが、例年通りに自宅での追儺を行い、そうした状況を打ち破った者がいた。陰陽師の安倍晴明である。長保三年の大晦日、国母《こくも》が没したことを憚って宮中の追儺が中止されたにもかかわらず、晴明は平然とその自宅で追儺を行ったのであった。しかも、それを見た京中の人々は、晴明に追随《ついずい》するかたちで次々に私宅での追儺をはじめたという。

『政事要略《せいじようりゃく》』というのは、平安時代中期の明法家《みょうぼうか》として知られる惟宗允亮《これむねのただすけ》によって編纂《へんさん》された書物であるが、その『政事要略』に允亮が晴明自身から聞いた話として記されているのが、右の長保三年の追儺に関する逸話《いつわ》である（『政事要略』巻二十九年中行事十二月下追儺）。その末尾には「晴明は陰陽の達者也《たつしやなり》」という允亮の所感が書きつけられているが、こうした逸話からは、安倍晴明の陰陽師としての影響力の大きさとともに、当時の人々が追儺という疫鬼を追い払う行事に寄せた期待の大きさを読み取ることができるだろう。

病気と陰陽師

万寿《まんじゅ》二年（一〇二五）の八月、東宮敦良親王《あつながしんのう》妃の藤原嬉子《よしこ》（尚侍《ないしのかみ》）が没した折、その在所となっていた上東門《じょうとうもん》第において、「魂呼《たまよばい》」あるいは「魂喚《たまよばい》」と呼ばれる呪術が行われた。そのころには滅多に行われなくなっていた呪術であったようだが、『小右記《しょうゆうき》』によれば、これを行ったのは中原恒盛《つねもり》という陰陽師であった。

○昨夜、風雨の間、陰陽師恒盛・右衛門尉《うえもんのじょう》惟孝《ただたか》の東対《ひがしのたい》尚侍の住する所の上に昇りて魂呼す。近代は聞かざる事也《なり》。

（『小右記』万寿二年八月七日条）

そして、次に引く『左経記《さけいき》』によれば、ここで恒盛（常守）が行った魂呼（魂喚）は、死者の横たわる家屋の屋根に上り、死者の衣裳を振って「麻祢久《まねく》」という動作を繰り返しながら、「某《なにがし》姓某の魂、復礼《もどれ》」と呼びかけるというものであった。「某姓某」の部分には死者の名前が入ったのであろうから、この呪術が死者の霊魂を呼び戻そうとする呪術であったことは明らかである。

○陰陽師常守の来たり向かひて云《い》ふやう、「去る《さんぬ》五日の夜、尚侍殿の薨《こう》ずるの時、播磨《はりま》守泰通朝臣《やすみちあそん》の仰《おお》せに依《よ》りて、上東門院の東対の上にて、尚侍殿の御衣《おんぞ》を以《もっ》て、魂喚を修す。（中略）」てへり。（中略）。或《ある》書の云はく、「屋の東方より堂の亡者の上に上り、其《そ》の衣を以て、此《こ》の方に向かひて三度麻祢久《まねく》なり其の詞に云はく、『某姓某の魂、復礼』と。字《あざな》を喚ぶべしと云々。畢《お》はらば西北の角より下ると云々《うんぬん》」と。

（『左経記』万寿二年八月二十三日条）

この事例から読み取れるように、平安貴族の理解において、死ぬというのは、身体から霊魂が抜け出てしまうことであった。つまり、平安貴族の理解する死は、霊魂と身体との完全な分離によってもたらされるものだったのである。

さて、このような理解を持つ平安貴族にとって、病気になるということは、身体から霊魂が離れはじめるということを意味した。しかも、どのような病気の場合でも、それは同じであったらしい。

平安貴族の病気を治療するために陰陽師が行った呪術の一つに、「招魂祭《しょうこんさい》」と呼ばれるものがある。たとえば、藤原実資の『小右記』によれば、万寿四年（一〇二七）の十一月、病臥する藤原道長《みちなが》（「禅《ぜん》室《しつ》」）のために陰陽師の賀茂守道《もりみち》が招魂祭を行ったところ、人魂《ひとだま》が飛来する様子が目撃され、そのために守道は褒美《ほうび》を与えられている。

○或《ある》ひは云《い》ふやう、「禅室の招魂祭、去夕に守道朝臣の奉仕するに、人魂の飛来す。仍《よ》りて禄《ろく》を給《たま》ふ桑絲なり」と。

（『小右記』万寿四年十一月三十日条）

平安貴族の理解において、賀茂守道の招魂祭が招き寄せたとされる人魂は、間違いなく、病臥する藤原道長のものであった。したがって、平安貴族にとっての招魂祭は、その名の通り、病気によって身体から遊離した霊魂を病人の身体に呼び戻すための呪術であったことになる。

そして、普通の病気を治療する場合でも、霊物《れいぶつ》を原因とする病気を治療する場合でも、平安貴族は陰陽師の招魂祭を用いることがあった。つまり、普通の病気であれ、霊物を原因とする病気であれ、平安貴族の理解では、病気に罹《かか》った者の身体からは霊魂が遊離していくものだったのである。

本章に見てきたように、平安貴族は多様な病気を知っていた。そして、それらの病気は、それぞれに多様な病因を持っていた。たとえば、陰陽師の卜占《ぼくせん》によって特定されるべきものとして安倍晴明が『占《せん》事略決《じりやくけつ》』に挙げた病因だけでも、軽く三十種類を数えるのである。したがって、平安貴族が病気を一様なものとして理解していたということはあり得ない。

しかしながら、どのような原因で病気になったにしても、平安貴族の理解では、病人の身体からは霊魂が遊離しはじめるものであった。やはり、平安貴族の理解するところ、病気になるというのは、身体から霊魂が離れはじめるということだったのである。

とすれば、病人の身体から霊魂が遊離しないようにすることこそが、平安貴族が医師や験者《げんざ》や陰陽師に求めた治療というものの本質であったろう。本章においては、病因ごとに異なる治療のあり方を見てきたが、平安貴族は病因に関わりなく病気を治療できるような治療を求めてもいたのである。そして、その一つが、陰陽師によって行われた招魂祭という呪術であった。

また、平安貴族が病気を治療する目的で陰陽師に行わせた呪術には、一切の理屈を排除して、とにかく結果としての延命を勝ち取ることを目的としたものもあった。その代表として挙げられるべきは、しばしば説話の中で安倍晴明が行っていることで知られる泰山府君祭《たいざんふくんさい》であろう。

泰山府君というのは人々の生死を司《つかさど》る冥府《めいふ》の神であり、その泰山府君に働きかけようとする呪術が泰山府君祭である。『今昔物語集《こんじやくものがたりしゆう》』巻第十九第二十四の「師《し》ニ代《か》ハリテ太山府君《たいざんふくん》ノ祭《まつり》ノ都状《とじよう》ニ入ル僧ノ語《こと》」という話に登場する安倍晴明は、この泰山府君祭（「太山府君ノ祭」）を行い、重病のために死を間近にした高僧の余命と高僧に師事する若い弟子の寿命とを交換することに成功している。

もちろん、このような説話の内容を鵜呑《うの》みにすることはできない。しかし、それでも、泰山府君が平安貴族にとって延命を願うべき相手であったことは事実である。たとえば、次に引く『権記《ごんき》』によれば、長保四年（一〇〇二）の冬の早朝、藤原行成《ゆきなり》が供物《くもつ》を捧《ささ》げて泰山府君（太山府君）に祈ったのは、他でもない、「延年《えんねん》・益算《えきさん》」を得るためであった。

○日出《ひので》、左京権大夫《さきようごんのだいぶ》晴明朝臣の説《と》くに依《よ》りて、太山府君に幣《ぬさ》一捧・帋《かみ》・銭を奉る。延年・益算の為也《なり》。

（『権記』長保四年十一月二十八日条）

なお、ここで藤原行成が泰山府君に長命を願ったのは、安倍晴明の勧めに従ってのことであったという。どうやら、晴明は平安貴族に泰山府君という神の利益《りやく》を熱心に説いて廻《まわ》っていたらしい。そして、平安貴族が泰山府君祭という呪術を重用するようになるのは、以前に拙著『陰陽師と貴族社会』において論じたように、安倍晴明という陰陽師の地道な宣伝活動が実を結んだためであった。

「安倍晴明」と「歴史民俗学」——結びに代えて——

「安倍晴明」の読み方

もしや、もうすでにお気づきであろうか。実は、この本の本文においては、「安倍晴明」という人名について、終始一貫してふりがなを付けていない。本書に登場する人物の中では最も有名な藤原《ふじわらの》道長《みちなが》や紫式部《むらさきしきぶ》などにさえ、その名前にはふりがなを付したというのに、安倍晴明に対してだけは、ただの一度もふりがなを付けていないのだ。

しかし、これは、ふりがなを付け忘れたためではない。そうではなく、本書においては、意図的に安倍晴明という人名にだけはふりがなを付さなかった結果なのである。

では、どうして筆者は安倍晴明にだけふりがなを付けないのか。

それは、包み隠さずに言ってしまえば、筆者には「晴明」という人名の正しい読み方がわからないからである。

常識的に考えて、安倍晴明の生きた平安時代中期当時において、「晴明」という名の本来的な読み方がセイメイであったはずはない。「道長」という名の読み方がドウチョウではなかったように、また、「実資《さねすけ》」という名の読み方がジッシではなかったように、平安貴族の誰かが考え出した「晴明」という名前が、当初からセイメイと読まれていたはずはないのではなかろうか。われわれ現代人でさえ、陰陽師の安倍晴明の存在を知らなければ、「晴明」という人名をセイメイなどと読みはしない。

現代の日本での一般的な読み方からすれば、「晴明」という名前はハルアキと読まれるのが普通であるように思われる。少なくとも筆者自身は、卒業論文で平安時代の陰陽師を取り上げた十余年前から、「晴明」という名前を何となくハルアキと読んできた。それゆえ、前著『陰陽師と貴族社会』（二〇〇四年、吉川弘文館）では、筆者ははっきりと「晴明」をハルアキと読んでいる。そして、この本を書きはじめた当初も、安倍晴明という人名には「あべ（の）はるあき」というふりがなを付けるつもりでいた。

ハルアキ・ハルアキラ・ハレアキラ

しかし、「晴明」をハルアキと読むことについては、すでに十余年前から迷いがあった。というのは、「安和《あんな》の変」で知られる源高明《みなもとのたかあきら》や小一条院《こいちじょういん》の院号で知られる敦明親王《あつあきらしんのう》の存在があったからである。周知のごとく、「高明」の読み方はタカアキラであり、「敦明」の読み方はアツアキラである。そして、この両名は、安倍晴明とほぼ同じ時代を生きた人物であった。とすれば、「晴明」

生活文化としての陰陽師

もハルアキラと読まれて然《しか》るべきなのではないだろうか。

ただ、源高明は村上天皇の皇子であり、敦明親王も三条天皇の皇子である。ましてや、敦明親王などは、一度は皇太子に立てられたことのある人物である。そうした高貴な身分の人々の名前の読み方が、そのまま中級貴族の一人に過ぎなかった安倍晴明にも適用されるのだろうか。

また、問題なのは「明」という字の読み方ばかりではない。日本古代史の専門家である倉本一宏氏の『一条天皇』(二〇〇三年、吉川弘文館)が安倍晴明という人名に「あべのはれあきら」というふりがなを付けているように、人名漢字としての「晴」はハレと読まれるべきなのかもしれないのだ。

こうなると、正直なところ、筆者の浅薄《せんぱく》な学識では正確な判断を下すことはできそうにない。十年余りも安倍晴明に関わる研究に携わってきながら、いまだに「晴明」の正しい読み方もわからないというのであるから、本当に恥ずかしい話ではあるのだが、この点について、今の筆者には明確な判断を下すだけの準備がないのだ。

そして、こうした事情から、本書では安倍晴明という人名にだけはふりがなを付さないことになったのであった。もちろん、「晴明」という人名の読み方については、今後も考え続けていきたいと思うが、この点に関しては、どなたからでも何かご教示を戴ければ幸いである。

ところで、この時点で筆者が自身の研究の目標として掲げているのは、およそ十世紀から十一世紀にかけての平安時代中期という時代における日本人の生活文化＝民俗を、可能な限り徹底的に解明することである。

平安時代中期という時代は、生活文化を解明するための資料となる史料が非常に豊富である。もちろん、現代に近い江戸時代などとは比べるべくもないが、しかし、それ以前の時代に比べれば、平安中期は生活文化に関する史料に恵まれた時代だと言っていいように思う。

本書の冒頭で触れたように、国風文化が開花した平安中期には、新しく生まれた仮名文字によって私的な創作活動が盛んに行われるようになる。そして、そうして生まれた物語や日記といったかたちの創作物が、当時の人々の生活文化についての恰好の史料となっている。

また、平安中期の半ばにあたる十世紀後葉から十一世紀前葉までの数十年だけをとっても、藤原道《みち》長《なが》・藤原実資《さねすけ》・藤原行成《ゆきなり》・源経頼《つねより》・藤原資房《すけふさ》といった人々の日記（古記録《こきろく》）が、そう悪くはない状態で現代にまで伝わっている。こうした記録が彼らの生活文化を解明するうえでの重要な手がかりとなることは、すでに本書で具体的に見てきたところである。

そして、これらの文献史料を資料とすると、たとえば、平安貴族の生活文化がいかに陰陽師の存在と結びついたものであったかを知ることができる。本書では陰陽師の活動を軸として平安貴族の生活文化を見てきたわけだが、それによって明らかになったように、平安貴族がその日々の生活を送るうえでは、陰陽師の存在が不可欠であった。

しかしながら、筆者が本書で陰陽師の活動を取り上げたのは、必ずしも陰陽師の活動を理解するためではない。実のところ、筆者が本当に興味を持っているのは、「平安時代中期の生活文化に関わる陰陽師の活動」ではなく、「陰陽師の活動が関わる平安時代中期の生活文化」なのである。

確かに、陰陽師というのは、非常に興味深い存在であろう。だが、筆者がより大きな興味を掻《か》き立てられるのは、その陰陽師という存在を必要とした平安貴族の生活文化なのである。むろん、「平安貴族の生活文化に関わる陰陽師の活動」に関する研究も、そうそう簡単なものではない。筆者自身、この研究にはすでに十余年の歳月を費やしている。しかし、それでもなお、筆者にとって、陰陽師の活動というのは、平安貴族の生活文化の一部でしかないのだ。

そのため、もしも筆者が「平安時代中期の陰陽師」とは異なる研究対象を見つけるとすれば、それは、「平安時代中期以外の時代の陰陽師」ではなく、「陰陽師以外の平安時代中期の何か」であろう。ただし、その「何か」は、生活文化に関わる何かである。

もちろん、筆者も「平安時代中期以外の時代の陰陽師」に興味がないわけではない。むしろ、自分自身では、たいていの人々よりは大きな興味を持っているとさえ思っている。しかし、そうであっても、筆者には「平安時代中期以外の時代の陰陽師」よりも「陰陽師以外の平安時代中期の何か」の方が魅力的に見えるのだから仕方がない。

「歴史民俗学」の構想

では、その「陰陽師以外の平安時代中期の何か」として、具体的にはどのようなものが考えられるだろうか。

その候補は山ほどもあるが、その一例として、ここでは医師《くすし》・聖《ひじり》・巫《みこ》・遊女・博徒・盗賊といった人々を挙げたい。これらの人々の活動を把握することで、平安時代中期の生活文化について、そのさまざまな側面を見ることができるだろう。現時点では、当時の病気・医療・死・夢・性・賭博・犯罪・暴力などに関して、まだまだ未解明の部分が多いのだ。

また、本書では平安中期の貴族層の人々の生活文化のみを取り上げることになったが、できることならば、同じ時代の庶民層の人々の生活文化をも明らかにしたいとも思う。これは、かなり難しい挑戦になろう。平安中期が生活文化に関する史料に恵まれているとはいっても、その多くは貴族層の人々が残したものであり、直接に庶民層の人々の生活文化について語ってくれる史料は非常に限られているからだ。だが、可能な限りのことはやってみたいし、また、やってみる価値のあることだと筆者は考えている。

さらに、神仏や霊鬼なども視野に入れなければならないだろう。本書においても平安貴族と神仏や霊鬼との関わりを断片的に取り上げたが、平安貴族にとって、神仏や霊鬼は現に存在するものであった。平安時代中期の人々は、彼ら自身の好むと好まざるとによらず、神仏や霊鬼と密接な関係を保ちながら生きていたのである。神仏や霊鬼との関わりは、間違いなく、当時の生活文化の重要な一部であった。

このように、平安時代中期の生活文化を明らかにしようとするならば、やらなければならないことは山積している。右に列挙した事象は、当時の生活文化を構成する要素のほんの一部でしかないのだ。なお、もしも、右に列挙したさまざまな事象からどれか一つを選び出し、その事象についての古代から現代までの歴史を調べたとしたら、いずれを選んだとしても、それは十分におもしろい研究になるように思われる。むろん、そこで選ぶのは陰陽師でも構わない。古今の陰陽師についての研究がおもしろくないはずがないだろう。

しかし、筆者が志向するのは、何か一つの事象について、その歴史的な変遷を追いかけるような研究ではない。むしろ、筆者が目指しているのは、どこか一つの時代に視点を据えて、その時代の生活文化の全般を明らかにしようとするような研究である。それは、時代ごとの民俗誌の企てだと言ってもいいだろう。そして、それこそが、筆者の構想する「歴史民俗学」なのである。

とはいえ、平安時代中期の民俗誌を完成させた筆者が、どこか別の時代の民俗誌に手を着けるのは、ずいぶんと先のことになるだろう。それどころか、筆者の「歴史民俗学」は、結局、平安時代中期の生活文化の研究に終始することになるかもしれない。いや、それ以前に、その時代の陰陽師の関わる生活文化についての研究を完遂するだけでも、どれほどの時間がかかることか。大風呂敷を広げてはみたものの、一つの時代の生活文化を解明し尽くすというのは、容易なことではなさそうである。

あとがき

本書『平安貴族と陰陽師』は、私にとっては二冊目の著書となります。もっとも、前著『陰陽師と貴族社会』の場合、もともとは学位論文として書かれたものであり、結果としてたまたま出版の機会に恵まれて刊行されるに至ったに過ぎませんから、私が当初から一冊の本を出版する目的で原稿を書いたのは、今回が初めてのこととなります。

その初めての試みにおいて、私は平安貴族の家宅および病気と陰陽師との関係に注目したわけですが、私が「家宅と陰陽師」および「病気と陰陽師」の二つのテーマに取り組んだのは、今回が初めてではありません。

ことに「病気と陰陽師」の方は、卒業論文以来、十五年もの付き合いとなるテーマです。大学の文学部で日本宗教史を専攻していた私は、卒業論文の題材として平安時代の陰陽師を選び、とくに平安貴族の病気の場面での陰陽師の活動に注目することにしたのでした。私が生まれて初めて学会誌に発表した「平安中期貴族社会における陰陽師――とくに病気をめぐる活動について――」という論文は、その卒業論文を手直ししたものです。

その後、私は専攻を民俗学に変更することになりますが、民俗学専攻の大学院生として書いた博士論文でも、「病気と陰陽師」を大きく取り上げました。その博士論文というのが、前著『陰陽師と貴族社会』の原型です。この博士論文は序章も含めて十一の章から構成されているのですが、その全十一章のうちの三つの章が「病気と陰陽師」というテーマに取り組んでいます。

ところが、それでもまだ「病気と陰陽師」について語り尽くすことはできませんでした。そして、本書で「病気と陰陽師」というテーマに取り組んだのは、こうした事情があってのことに他なりません。しかし、正直に告白しますと、本書の紙数の半分ほどを「病気と陰陽師」の考察に割いたものの、このテーマに関してはまだまだやり残したことがあるように思われます。「病気と陰陽師」というテーマは、本当に奥が深いようです。

一方、私が「家宅と陰陽師」というテーマに取り組むようになったのは、修士論文を書きはじめたときからでした。そのころの私はまだ日本宗教史を専攻していたのですが、修士論文の題材としてまたしても平安時代の陰陽師を選んだ私は、論文の構想を練っていくうち、「病気と陰陽師」に加えて「家宅と陰陽師」をも扱ってみようと思ったわけです。

それから十余年、この「家宅と陰陽師」というテーマは、私にとって、平安時代の陰陽師について語ろうとする場合に絶対に外すことのできないものとなりました。いや、陰陽師について語る場合だけではなく、平安貴族の生活文化について語るうえでも、私は「家宅と陰陽師」に言及せずにはいられません。もちろん、博士論文を構成する十一の章の中にも、このテーマを扱う章があります。ただ、この「家宅と陰陽師」に関しても、博士論文が前著として出版されてもなお、私は何かをやり残したように感じ続けていました。そこで、本書でふたたび「家宅と陰陽師」というテーマに取り組んだわけですが、案の定、山ほどのやり残しを見つける結果となりました。しかも、これも正直に白状してしまいますと、本書の紙数の半分近くを割いた取り組みでも、「家宅と陰陽師」について語り尽くすことはできませんでした。こちらもかなり奥の深いテーマのようです。

こうした事情ですから、私は、当分の間、陰陽師の活動を手がかりとして平安貴族の生活文化のあり方を明らかにするという課題から離れることができないでしょう。そして、いつか本書の続編のようなものを書くことができたらと願っております。

なお、最後にまったくの私事になりますが、私がいつ完結するかもわからない研究を続けていられるのは、妻の深い理解と力強い支えとがあってのことです。ですから、この場を借りまして、妻にせめてもの感謝の気持ちを伝えたいと思います。

二〇〇五年三月

繁田信一

参考文献

＊ここでは本書において直接に言及したもののみを示した。

勝田至
『死者たちの中世』（二〇〇三年、吉川弘文館）
澤田瑞穂
『鬼趣談義』（一九九八年、中央公論社）
繁田信一
「貴女と老僧」（東北大学文学会『文化』第六〇巻第三・四号、一九九七年）
「呪詛と陰陽師」壱〜参（呪術探究編集部［編］『呪術探究』巻の一〜巻の三、二〇〇三年〜二〇〇四年、原書房）
『陰陽師と貴族社会』（二〇〇四年、吉川弘文館）
澁澤敬三・神奈川大学日本常民文化研究所［編］
『〔新版〕絵巻物による日本常民生活絵引』（一九八四年、平凡社）
戸田芳実
「律令制からの解放」（戸田『日本中世の民衆と領主』、一九九四年、校倉書房）

中村璋八
『日本陰陽道書の研究』（一九八五年、汲古書院）
服部敏良
『平安時代医学史の研究』（一九五五年、吉川弘文館）
保立道久
「巨柱神話と天道花」（保立『物語の中世』、一九九八年、東京大学出版会）
堀一郎
「神仏習合に関する一考察」（堀『宗教・習俗の生活規制』、一九六三年、未来社）
村山修一
『日本陰陽道史総説』（一九八一年、塙書房）
柳田國男
「民間暦小考」（『定本柳田國男集』第一三巻、筑摩書房）
「卯月八日」（『定本柳田國男集』第一三巻、筑摩書房）
『祭日考』（『定本柳田國男集』第一一巻、筑摩書房）
『先祖の話』（『定本柳田國男集』第一〇巻、筑摩書房）
山折哲雄
『神と仏』（一九八三年、講談社）
吉田早苗

「藤原実資と小野宮第」(『日本歴史』三五〇号、一九七七年、吉川弘文館)
和歌森太郎
「カマド神信仰」(『和歌森太郎著作集』第一〇巻、一九八一年、弘文堂)

索　　引

陰陽師

あ

縣奉平《あがたのともひら》　85-87,89,146,147,173
安倍晴明《あべのせいめい》　1-4,6-9,13-16,30,31,88－91,93,99－105,114,132,140,146,148,150,151,154,155,168,180,181,183-188
安倍吉平《あべのよしひら》　31,33,90－92,96,104,105,124,125,128,133,135,137,138,152,155,157-160,164,165,167,168
大中臣為俊《おおなかとみのためとし》　104,105

か

賀茂忠行《かものただゆき》　148,149
賀茂道平《かものみちひら》　16,17,21-23,92
賀茂光栄《かものみつよし》　73,125,128,133,145,151,152,167,168
賀茂守道《かものもりみち》　32,33,57,71,73,74,97,127,128,133,164,182,183
賀茂保憲《かものやすのり》　53,55,58－60,86,87,148-150
巨勢孝秀《こせのたかひで》　90,91,96
惟宗文高《これむねのふみたか》　86,87,94,173,174

な・は

中原恒盛《なかはらのつねもり》　32,73,74,104,105,115,121,134,173,181,182
――陳泰《のぶやす》　71,166
文道光《ふみのみちみつ》　54,55,59

霊　　物

あ

葦原志挙乎命《あしはらのしこおのみこと》　24,25
悪鬼《あっき》　102,154,177
天日槍命《あまのひぼこのみこと》　24
伊耶那岐命《いざなぎのみこと》　177
縊死鬼《いしき》　102,154,156,157
井神《いがみ》　29-31,33,34,47,50,52,95
家の神《いえのかみ》　40,41,47
稲荷《いなり》　131,132
猪《いのしし》　83
宇佐《うさ》　131,132
氏神《うじがみ》　38－41,57,74,102,127,128,132,133,171
馬祠神《うまのほこらのかみ》　102,132
疫鬼《えきき》　137,152,154,167－169,171,172,176-181
疫神《えきしん》　160-165,167
老狐《おいぎつね》　83
大国主命《おおくにぬしのみこと》→葦原志挙乎命《あしはらのしこおのみこと》
大歳神《おおとしがみ》　102,132
鬼《おに》　11,77－83,95,148－157,166－172,177,179
鬼神《おにかみ》　83
鬼の気《おにのけ》　152

か

客死鬼《かくしき》　102,154,156
形像《かたしろ》　102,132
門神《かどがみ》　29-31,33,34,47,50,52,95
春日《かすが》　131,132,138-140
竈神《かまどがみ》　29－34,36,40,41,47－52,73,95,102,105,131,132,134-136,145
神の気《かみのけ》　128,133,134,152,163

厠神《かわやがみ》　28-31,33,34,47,50,52,95
歓喜天《かんぎてん》　141
鬼気《きき》　138,152,166,168,172
鬼神《きじん》　148,149
北君《きたぎみ》　73,145,146
狐《きつね》　76-78,83
鬼物《きぶつ》　157
貴布祢・貴船《きぶね》　103,130-132
麒麟《きりん》　68,69
鬼霊《きれい》　113
金峰山寺《きんぶせんじ》　141
野猪《くさいなぎ》　83
求食鬼《ぐしょくき》　102,151,152,154,166,168
玄武《げんぶ》　68,69
勾陳《こうちん》　69
木霊《こだま》　77,78,82,153
樹神《こだま》　82,153

さ

三条院の角の神《さんじょういんのすみのかみ》　129,130
厠鬼《しき》　102,154
式神《しきがみ》　103
死者の霊《ししゃのれい》　154-160,168
邪気《じゃけ》　105,137,152,159,160,168
樹鬼《じゅき》　153,154
丈人《じょうじん》　102,155
聖天《しょうてん》　141,143-145
神気《しんき》　164,165
神人《しんじん》　163
朱雀《すざく》　68,69
廃竈神《すたれかまどがみ》　102,132
角振神《すみふりのかみ》　129,130
青龍《せいりゅう》　68,69
祖霊《それい》　38-42,44,47,50-52,102

た

泰山府君・太山府君《たいざんふくん》　184,185
宅神《たくしん》→宅神《やかつがみ》
田の神《たのかみ》　39-41,51,52
土公神《つちぎみのかみ》　53-62,65,67-75,95,102,127,131-134,145
土の気《つちのけ》　57,59-61,72-74,127,128,133
溺死鬼《できしき》　102,154,156,157
唐朝の神《とうちょうのかみ》　162,163
道路鬼《どうろき》　102,154,156
戸神《とがみ》　29-31,33,34,47,50,52,95
堂神《どうがみ》　29-31,33,34,47,50,52,95

な・は

乳死鬼《にゅうしき》　102,154,156
庭神《にわがみ》　29-31,33,34,47,50,52,95
隼神《はやぶさのかみ》　129,130
日吉《ひえ》　131,132
人魂《ひとだま》　182,183
白虎《びゃっこ》　68,69
仏法《ぶっぽう》　102,140,142,143,165
兵死鬼《へいしき》　102,154,156
変化《へんげ》　76-78
亡霊《ぼうれい》　156
北辰《ほくしん》　102,141,146

ま

儛神《まいのかみ》　102,132
客神《まろうどがみ》　24
水神《みずのかみ》　102,132
水上神《みなものかみ》　102,132
道路神《みちのかみ》　102,132
妙見菩薩《みょうけんぼさつ》　73,102,141,146,147
无後鬼《むごき》　102,154,156
女鬼《めおに》　77,156
母鬼《もき》　102,154,156
物のけ・もののけ　103,104,107,128-131,137,143,144,151,152,154,158-160

や・ら

宅神《やかつがみ》　30-44,47,50-52,55,84,95
家神《やかつがみ》　31,34-36,47
社神《やしろのかみ》　102,132
山の神・山神《やまのかみ》　40,41,44,47,52,102,132
霊　40,78,83,84,95,154,155,157-159,165
霊気《れいき》　158
霊魂《れいこん》　182,183

呪　　術

あ

黄牛《あめうし》　17,18,20,22,53-55,58,59,67-70,75,90,92,95
印《いん》　76
打蒔《うちまき》　87,88
禹歩《うふ》　86
鬼やらひ《おにやらい》　179

か

加持《かじ》　124,125,131-134,143,158,159,163-165
鬼気祭《きききさい》　151,152,166,167,172-174,176
九字《くじ》　86
解除《げじょ》　31,32,135,136
郊外四堺祭《こうがいしかいさい》　176
皇居四角祭《こうきょしかくさい》　174
五菓嘗《ごかなめ》　24-26

さ

散供《さんく》　32,86-88,91
散米《さんまい》　87
四堺祭《しかいさい》　174,176
四角祭《しかくさい》　174,176
四角四堺祭《しかくしかいさい》　176
七十二星鎮《しちじゅうにせいちん》　96
呪詛《じゅそ》　102,103,114,128
呪符《じゅふ》　96,97
招魂祭《しょうこんさい》　182-184
水火童女《すいかどうじょ》　20-22,27,54,70,92,95
修法《すほう》　122,123,128,133,134,158

た

泰山府君祭・太山府君祭《たいざんふくんさい》　184,185
魂呼・魂喚《たまよばい》　181,182
追儺《ついな》　11,12,176-181
土公祭《つちぎみのまつり》　71,72

は

祓《はらえ》　57,73,128,129,133,134,138,152,168
反閇《へんばい》　85-95
卜占《ぼくせん》　32,57,68,73,74,100,101,104,115,121,124-129,132-134,138,146,147,150-160,165,167,168,183

ま

祭《まつり》　129,133-135,147,158-160
禊《みそぎ》　100
禊祓《みそぎはらえ》　31-33,74,99,123,133-136,138-140,147,158-160

医　　療

あ

赤斑瘡《あかもがさ》　164,165
医家《いか》　100
医師《いし》→医師《くすし》
医療《いりょう》　153
疫病《えきびょう》　159-174,176,179

か

風《かぜ》　106-110,112,113,116,117,119,120,122,123,127,128
風邪《かぜ》　107-109,127
風気《かぜのけ》→風気《ふうき》
風病《かぜのやまい》→風病《ふびょう》
呵梨勒丸《かりろくがん》　118

さ

た・な

は

ま・や・ら

文　献

あ

か

さ

た

な

は

ま

ら・わ

著者略歴

一九六八年　東京都に生まれる

二〇〇三年　神奈川大学大学院歴史民俗資料学研究科博士後期課程修了

現在　神奈川大学日本常民文化研究所特別研究員、同大学外国語学部非常勤講師、博士(歴史民俗資料学)

〔主要著書・論文〕

陰陽師と貴族社会　呪詛と陰陽師(『呪術探究』巻一〜三)　呪文を唱える平安貴族(『國文学』第50巻4号)

平安貴族と陰陽師《おんみょうじ》

安倍晴明の歴史民俗学

二〇〇五年(平成十七)六月一日　第一刷発行

二〇二三年(令和　五)四月一日　第五刷発行

著　者　繁《しげ》田《た》信《しん》一《いち》

発行者　吉川道郎

発行所　株式会社 吉川弘文館

郵便番号一一三—〇〇三三

東京都文京区本郷七丁目二番八号

電話〇三—三八一三—九一五一〈代表〉

振替口座〇〇一〇〇—五—二四四番

http://www.yoshikawa-k.co.jp/

印刷=藤原印刷株式会社

製本=ナショナル製本協同組合

装幀=清水良洋

ISBN978-4-642-07942-6

繁田信一著

安倍晴明

陰陽師たちの平安時代

（歴史文化ライブラリー）四六判・二一二頁

二三〇〇円

平安時代を代表する陰陽師として、注目を浴びる安倍晴明。彼はなぜ陰陽師となったのか。昨今の「超人」イメージではなく、出世・栄達に腐心する中級貴族としての、等身大の実像に迫り、安倍晴明の最大の謎に挑む。〈オンデマンド版〉

陰陽師と貴族社会

A5判・三五二頁

九〇〇〇円

平安貴族は、神仏や霊鬼の祟りに対して用いた陰陽師や呪術をどのように認識していたのか。古記録を読み解き、安倍晴明など官人陰陽師や法師陰陽師の実像、医療・呪詛などの職能を解明。平安貴族の心性を浮び上がらせる。

（価格は税別）

吉川弘文館

繁田信一著

呪いの都 平安京 呪詛・呪術・陰陽師

（読みなおす日本史）四六判・二四八頁

二二〇〇円

貴族たちの陰湿な望みをかなえるために、都に暗躍する法師陰陽師。呪詛と呪術に生きた彼らは、どのような人々だったのか。歴史の闇に隠された呪いあう貴族の生々しい怨念を読み解き、平安京の裏の姿を明らかにする。

孫の孫が語る藤原道長 百年後から見た王朝時代

四六判・二八八頁

二五〇〇円

必ず北向きで手を洗い、鼻は真っ赤—。平安朝で栄華を極めた藤原道長の知られざる姿は、孫の孫にあたる藤原忠実の談話集により今に伝わった。道長の家族や周囲の人々のふるまいにも触れ、百年後から見た王朝時代に迫る。

（価格は税別）

吉川弘文館

慶滋保胤（人物叢書）

小原　仁著　　四六判・二七二頁／二一〇〇円

平安中期の儒学・漢学者。陰陽道の家に生まれながら、文筆官僚たる内記として花山朝の政治を担う。勧学会を結成し源信と交流。当時の京の世相を伝える「池亭記」や『日本往生極楽記』を著わす。浄土信仰の先駆者の伝。

鎌倉期官人陰陽師の研究

赤澤春彦著　〈オンデマンド版〉Ａ５判・四四二頁／一三五〇〇円

平安期に重要な役割を果たしていた朝廷陰陽道が、近世に形骸化してしまったのはなぜか。両時期の間にあたる鎌倉期の官人陰陽師に注目し、朝廷陰陽道、博士家の展開、関東陰陽道を再検討。鎌倉期陰陽道を包括的に捉え直す。

近世陰陽道の研究

林　淳著　〈オンデマンド版〉Ａ５判・四二六頁／一三〇〇〇円

江戸幕府に陰陽師支配の許可を与えられた土御門家は、権限を利用して占い師や芸能者などを取り込み、全国的な組織を形成する。修験や舞太夫との争論や、江戸幕府の陰陽道政策を通して、近世陰陽道の実態を解き明かす。

（価格は税別）

吉川弘文館